S0-AUS-192

證嚴法師靜思語 2

九歌叢刊23

釋證嚴 著

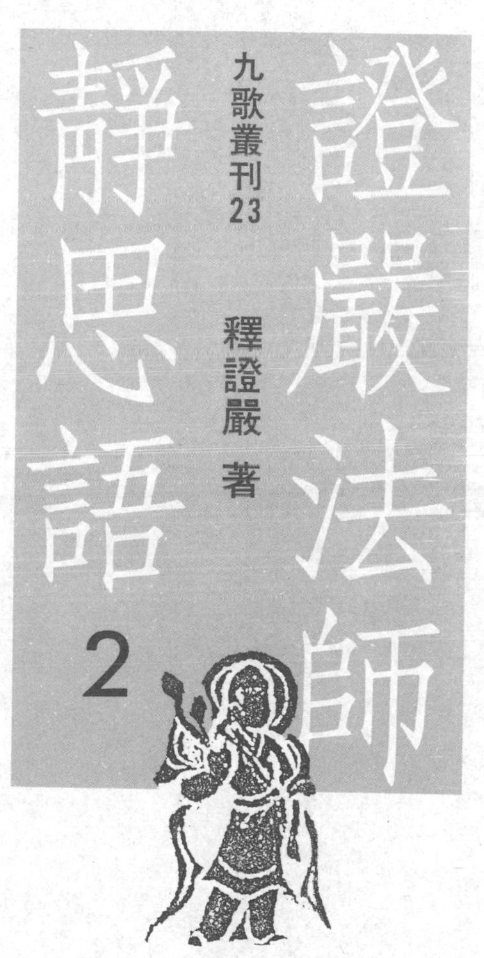

看似尋常最奇崛　成如容易卻艱辛

寫在靜思語第二集出版之前

唐朝大詩人劉禹錫的詩云：「瞿塘嘈嘈十二灘，此中道路古來難；長恨人心不如水，等閒平地起波瀾。」意思是說：水，只有遇到山石阻隔時，才會激起波濤，形成人見人畏的險灘；可是，人心，即使是在平地，也會無端生起波瀾，暗

喻瞿塘灘道，雖然古來難行，但比起人的心路歷程來，恐怕還要易走得多。這是詩人對人心起伏善變，多所感慨之語。這種感慨，或許很多人會有同感。

人心難調能調，只要時常反觀內省，靜思惕勵，起伏善變的人心，也可以調伏得如如不動，淸澈見底。

《靜思語》一書，自出版以來，承蒙各方厚愛，讀者謬賞，證嚴愧不敢當，對社會廣大讀者的支持與厚愛，證嚴至爲感激，希望這本書能帶給大家身心輕安，有所得，也有所悟。

現在《靜思語》第二集，將由九歌出版社與慈濟文化出版社同步出版發行，在編輯體例上，延續第一集的風格，但內容上則較第一集更爲寬廣，我們這樣做，是爲了使大家有更開闊的思惟空間。

歷代禪師雖然強調「言語障道」，故不立文字，直指人心。其實，道不在言語，而在人心，如果只是執著於語言文字，而不能體悟語言文字的精髓，依言勵行，才是道斷的主要原因。

語言文字和「道」的關係，就像「以手指月」一樣；以手指月，目的在月不在手。語言文字只是載道的工具而非目的，執著於工具而忘了目的。就本末倒置，非以手指的用意了。

《靜思語》所以用最淺顯易懂的語言，闡述人生的道理，

目的只有一個，那就是希望每一位閱讀本書的人都能獲得心靈上的自在。事實上，這個目的《靜思語》第一集已有莫大的啓迪作用了。

王安石詩云：「蘇州司業詩名老，樂府皆言妙入神；看似尋常最奇崛，成如容易卻艱辛。」眞理不在詰屈聱牙的用語中，看似尋常的語句，只要用心體悟，句句都蘊涵著奇崛，浮躍著佛性。

「尋常一樣窗前月，才有梅花便不同」，「靜思」是靜思惟的意思，透過凝神自照，才能調得身心一如，動靜一致，能如此，即使是最淺顯的一句話語，也能發揮無比的威力。

《靜思語》第二集出版在即，證嚴不敢奢望它能有多大移風易俗的貢獻，但總希望它能發揮一點潛移默化的功能，爲社會善盡點責任。這個希望能否實現，就要看讀者能否深體書中片言隻字的眞意了。

釋證嚴

民國八十年十月十四日

於靜思精舍

目錄

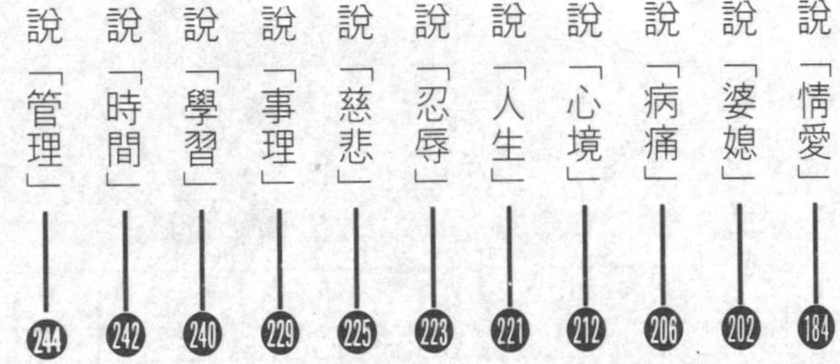

◉第二篇／即境開示〈宗教篇〉

【附錄】 301

【上卷】

靜思晨語

第一篇——讓生命功能永遠像春天

〔人生的目標〕

我們走到那裏都有一個目標、起點。要跟著目標走到底，不要站在半路。站在半路要比走到目標還要辛苦。站在大馬路中進退猶豫是很危險的，就好像爬山的人，要不就站在山下，要不就一口氣爬到山頂上，否則停在半山腰中，石頭若滾下來，那不是很危險嗎？

在人的一生中，難免會有灰濛濛、氣冷冷的時候，只要能將最終目標穩定住，就能像冬天的太陽一樣，感覺很溫暖。

命無常，慧命永久；愛心無涯，精神常在。

所謂職業，是爲生活而工作的，是被動的，就職辦事，辦公時間按一般上下班打卡，能不遲到不早退，職務、公務就算完成。而志業即是沒有上班的時間，更沒有下班時刻，它不需打卡，卻是分秒之間不離志業義務，一切都出於自願。

好事總是要騰出時間，這是人生的目的，也是人生的義務。

生命只有數十年，慧命卻是永遠不滅。每個人都有一代傳過一代的子孫，也要留下美的回憶與愛的教育給子孫，這就是史蹟的慧命常存。

皈依的人要有目的，而爲人皈依的人要負起責任。在人海茫茫中到底船隻的方向要往何方，一定要求個目標，這才是求皈依的目的，而爲人皈依的人一定要有責任，比如說，眼見船隻已經快迷失方向了，一定要趕快亮起燈塔的燈，讓他們知道方向，這就是責任。

人的生命要不斷發揮它的功能才是活著的人生；要讓生命功能永遠保持像春天一樣，不斷湧出生命力，不要讓良知冬眠了。

天下、國家、社會、家庭所以不得太平安寧、和睦，都是由於人的本身只知爭取「生」存，而不追究生存的眞諦。

第二篇——成功的起點

〔談毅力〕

願是成功的起點，人生最需要的就是願也就是希望。一切事業要成功，就必要有願望，十方三世一切諸佛是依願力行，而後才能依行成佛。「人」如無願望，就無希望，沒有希望就無法成就事業。

佛教一再提倡「願」、「力」並行，因爲僅以空口談願，而不以實際的行動來表現，永遠都無法滿「願」。

願——必須要發利濟衆生的大願，並且必須隨時隨地身體力行。

正的普度，應該要發大心、立大願，普遍去愛一切衆生。

要大，志要堅，氣要柔，心要細。

第三篇——沙漠中的甘泉

〔宗教的精神〕

有些人不了解佛法，以爲在苦惱中或不幸的人生才需宗教，求得解脫；以爲佛教是消極的、是逃避的。這是錯誤的觀念。其實愈是有知識、有志節，要追求宇宙的眞諦、探討生命的奧祕之士，更需要宗教——尤其是佛教。

生難得灑脫，要灑脫就必須有宗教精神及眞正的人生目標，這樣才能得到有意義的灑脫！

佛教徒應具足運動家的賽跑精神，只要肯跑的人一定可以到達終點——佛的境界。

唯有宗教的力量，能夠鼓舞人們的身心，並帶來人格上的新生。

世間事都是彼此相對的，只要我們以眞誠的愛心待人，以光明磊落的心胸任事接物，則人生到處都充滿了眞善美。

欲以出世精神作入世的志業，必須抱持：「絕對要忍耐」、「絕對要任勞」、「絕對要忍怨」、「絕對要有愛」、「絕對沒有恨」、「絕對心存快樂」……，這是佛教精神的「絕對論」，與世間法的「相對論」迥異之處，亦即是利生事業臻至完美境界的關鍵。

正信的佛教徒稱「禮敬諸佛」不只是「拜佛」；因為「禮敬諸佛」，是要學佛的大慈悲和大智慧。

佛法是救世的良藥——因為世間的衆生，時常都在病與貧的狀態中；無論是天然的災害，或是人為的禍亂，都是由於不調和而引起的毛病，既有了毛病，即需治世的良藥，佛法便是調劑最好的良藥。

教眞正的精神是在於不爲自己，而是一切都爲衆生求安樂，寧可捨己，以自己的勞碌供給他人享受。

第四篇——慈悲與智慧的化身

〔菩薩的心〕

要以理智來選擇信仰，隨順眞理追求理性的信仰。我們本身就具有一顆菩薩心，菩薩的精神時時蘊藏在我們的本性裏。我們有和菩薩相同、平等的力量，即是慈悲與智慧的力量。這是菩薩的特長，也是恒藏在我們內心的本性。

菩薩行者能起慈悲心，常起利益衆生的念頭，無論到任何地方，心都無恐畏。目前社會能做到以愛待人，以慈對人，則既不惹人怨，亦能結好緣

薩的感情是廣大無有範圍、邊際，他能包容宇宙，他能無限量愛一切衆生，但絲毫都不求衆生感情的回報。因此物質並不影響他的道心，他常念知足、安貧樂道，他所追求的只是智慧，因此說惟慧是業——以智慧爲行動，這是凡夫與菩薩的不同之處。

人都有佛性——只要良知良能發揮出來，沒有一個人不能去救人、去造福人群，這分可以救人之心，就是菩薩心。

欲成菩薩道業，必須經過精神的磨鍊，要有不畏心勞、不懼身苦的精神毅力，勇往直前方能達成救人濟世的菩薩道業。

菩薩的愛像一杯清水，你可以從上面透視到底下，沒有一點彩色，這是「清水的愛」。

菩薩不是土雕木刻的形像，眞正的菩薩是能做事、能說話、能吃飯，才是眞菩薩。

要做菩薩就要恒常發心，菩薩絕不把付出的一切當成苦事，而應抱持如同遊戲人間一樣的歡喜心。

薩遊化在人間，人間如舞臺，我們只是在舞臺上扮演一個角色來遊化。

生的價值在於功能，而不是在於形象；形象沒有價值。

院中木刻、石雕的佛菩薩相，並不是眞正靈感的佛，只是藉相讓我們攝心而已，眞正靈感的佛菩薩是在每個人的心裏。

我們應為別人的成就而生歡喜心。看他人的成功，猶如自己的成就，這就是菩薩心。常常抱著利益衆生之心，就可永遠不離喜樂。

學菩薩道，經常都要接受考驗，遇有困難危險的環境時，要保持心無怖畏、志不退縮，要學佛陀的大無畏、大勇猛精進的精神，不斷向前邁進，切莫往後退轉。

，難免會有灰濛濛、氣
的時候，只要能將最終目標
住，就能像冬天的太陽一樣
覺很溫暖。佛的弟子，就應
的精神為需要我們幫助的
群服務，且應與眾生同苦樂
能做到這樣，人我一體，則可
：「成功的人生」，亦稱得上有

第五篇──赤裸裸來的

〔利用身體〕

我們應該好好愛惜人身，因為身軀會為自己做功德，要好好利用它，一切的功德是時間所累積，一切的功德也是我們的身體行動所做出來。

一生的行為，不管是善是惡，皆由時間的累積。

人有生老病死，有身體就有病痛。佛陀曰：「我如良醫，知病說藥；服與不服，非醫咎也。」

既知有病，就應遵從良醫診斷治療，免除苦患。

人對軀體有兩種看法：一、太愛自己，珍寵得過分放縱自己，捨不得利用它。二、太輕視自己，輕視得近於折磨它，以為身既是不淨物又何必重視它，因而忽略了身是載道器。其實，只要好好發揮身體的功能，則不唯處世大業可成，即出世佛道亦不遠。

人——生到世間來的第一天，是一身赤裸裸地沒有帶一物來，在世間忙碌了幾十年，到最後還不是一樣一物也帶不去！人生只不過是這麼簡單，空著雙手來，也空著雙手去。

每天無所事事，是人生的消費者；積極有用，才是人生的創造者。什麼都沒做也是空過了人生，若能夠不斷實行利益人群的事，這就是大好的人生。

要好好利用我們的身體，趁現在能自由說話、自由走動的時候，趕快去做，去福利人群、去宣揚佛法、去導人向善。

是佛的弟子，就應學佛的精神，爲需要我們幫助的人群服務，且應與衆生同苦樂。能做到這樣，人我一體，則可謂：「成功的人生」，亦稱得上有意義、有感情，眞正活生生的人「生」！「生」事既然成功了，那還怕「死」後不解脫呢？

，難免會有灰濛濛、氣
的時候，只要能將最終目標
任，就能像冬天的太陽一樣
覺很溫暖。佛的弟子，就應
的精神。爲需要我們幫助
群服務，且應與眾生同苦
能做到這樣，人我一體，則
：『成功的人生』，亦稱得上

第六篇──愛河千尺浪

〔談情說愛〕

一般凡夫太愛自己，難免會與別人計較，自己多疑心，爲自己、愛護自己的心太濃厚，所以事事多疑心，懷疑別人所說的話是不是在諷刺自己？別人所做的事是不是對自己不利？像這種人，就是把人與事當是非起疑心。若這樣生活在人間就很痛苦了。

愛本來就無窮無盡，散開可利益天下，延長慧命；收縮則自私自利，增長惡業。

個人要先點亮自己的心光，才能去引發別人。人要眞誠苦幹，才能領導別人，而不是光靠能幹。對人須用寬大的心去包容——發廣大心，普遍的愛一切衆生，使周遭都籠罩在你愛的氣氛中。

要實行人間的佛法，就必須身體力行去淨化人間；要淨化他人必須先淨化自己。什麼是淨化呢？就是培養清淨的法愛。什麼是法愛呢？就是清淨的愛，普天之下的衆生我都敬愛他，普天之下的衆生我對他都有覺情。總而言之，我們的愛一定要愛得的無所求，愛得很普遍，這才是法愛。

現今社會，有一種通病，就是「缺愛症」。我們若能增添一份愛，由自我做起，先充足自己的愛心，然後互相付出，將這股愛充足於社會，這個社會才能調和。

愛心、慈心、悲心可以說是女人的標誌，引導先生往好的路去走，是做太太的責任，福利人群、造福人生，也是媽媽的責任。

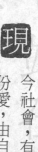

有的人只執着於家庭中的眷屬，但是家庭中的眷屬如果不符合自己的要求，怨恨就容易產生。

凡夫的愛欲及渴望無止盡，不斷地追求物質享受與聲色逸樂；有如洶湧的波濤，一波未平，一波又起！此乃人生痛苦之因由。

愛河千尺浪，苦海萬丈波！求而不得是苦；求得之後仍無法滿足，禁不起欲愛的鼓動及外界的誘惑，又永無盡期地渴求，更是痛苦難耐。

前台灣中年以上離婚率正逐年不斷上升，所以，才產生不少社會問題。我們應先建立正常的家庭倫理，再去感化別的家庭。

感情的處理，是要愛其所愛，這才是大愛；平時要好好培養感情，萬一有問題時，也要退一步想，要用寬廣的心，接受呈現在目前的一切，這才是有智慧的愛。

人與被愛都是幸福的。但是這份愛必須「清淨無雜染」，付出者毫無所求，接受者也不貪婪；施與受者都無煩惱，彼此皆得愉悅自在。

無色彩的愛——「時」不計長短，「地」不分遠近，「人」不分宗教與種族，只要是有苦有難的「時」、「地」、「人」，只要是看得到、聽得到、做得到的，都應盡量設法去做，絕無索求回報的意念。愛得普遍，愛得透徹，愛得乾淨俐落，就是「無緣大慈，同體大悲」的純眞淨愛。

以佛陀廣愛無邊衆生的心，爲我們的心。佛能做，我們也能做；佛能愛，我們也能愛。佛陀能爲愛一切衆生而不惜犧牲，我們也能爲愛慈濟衆生的志業，而不惜辛勞付出。

能

突破小範圍的愛，把自己的愛心與一切眾生混合一起，眾生的苦痛就如自己的苦痛，這才是佛教所提倡的愛。

常，難免會有灰濛濛、氣符的時候，只要能將最終目標定住，就能像冬天的太陽一樣感覺很溫暖。佛的弟子，就應佛的精神為需要我們幫助人群服務，且應與眾生同苦。能做到這樣，人我一體，則明：「成功的人生」，亦稱得上

第七篇—說一丈不如行一寸

〔關於修行〕

人有二耳、二眼、一口、雙手、雙脚，此中道理：是要人多聽、多看、少說話、多做事。古哲言：「蝦蟆日夜鳴而人厭之，雄雞一鳴，天下振動，言在當時而已，多言何益？」總之，修行貴在身體力行，說一丈不如行一寸。

一切的修行法門，坐禪、念佛等，都是爲了收攝心念。「修行」，主要是多改掉一分假我，多增加一分眞實的我。

想要一個清淨的社會並不困難，必須從「我」自身做起，從無數個我與你開始。要求整體的美，必須從一小個體開始，有無數個美的個體，就會有一個大整體的眞善美。這也就是說，要做菩薩、嚮往生活在菩薩的世界，就必須自己先做菩薩。

修德——是日常生活中點點滴滴累積的，要抱著不漏點滴的修養，以長久心，在最平凡、平常的行爲中，不離開佛法的教育；如此，才是眞所謂學佛修德。

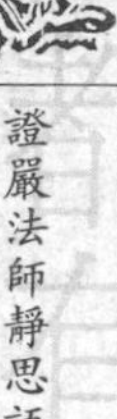

要救世必須先救心，心誠則身端行正。就如孔子所說：「修身、齊家、治國、平天下。」要求家庭和睦，就須從個人的修養開始，以一個和睦的家庭再去教化、影響其他人的家庭，則家家和睦，而社會就能安祥和樂。

一個人的修養該如何來衡量它？應是存誠於內，而形之於外，待人接物、言談舉止……一切行動都是表現內心本性的修養。

時時刻刻注意自己所說的話，每一句話都經過深思熟慮，是否合情、合理、合法，是否能利益衆生，開導人心，使人開解煩惱。

人的習性不同，各如其面。修行必須走入人群，在人群裏和各種不同習性的人，互相磨鍊和適應，要圓融相處，和睦相待。

一個人只要有慚愧羞恥的心，自然不敢做喪理敗德的事，所以修行學佛一定要先學能慚愧，知羞恥。

行忍辱的人，就是一個最堅強的人，任何事與人都擊不倒他，能忍才是成就事業最重要的依據。

行，除了自度之外還要度人。時時刻刻培養善根（智慧）、慈悲（福德）。絕對不能去侵犯他人，毀謗他人，尤其是對同道者。

往往爲了愛自己而損害別人，所以佛陀教導我們修養的第一個條件，就是不要去傷害別人。

個社會是群體的，只你一個人好，好不了；只你一個人善，善不起來。我們需要一個好家庭、好社會，就必須彼此感恩。

社會形態源自於家庭教育，家庭教育源自於個人的修養，每個人若能將個人的修養做好，進而料理好家庭，則社會不亂。

所謂修行，是「修」心養性、端正「行」為，亦即應該常存慚愧心，勤勉精進，如修學而不精進，不反省自己的人，就是沒有慚愧心的人，心無慚愧者，則行為必不能端正，況談修心養性。

有量就有福，有福心就靈，是謂「福至心靈」。

人處事要小心細心，但不要「小心眼」！

常要多多調伏自己的心念，培育正確的人生觀，降伏「憂煩」的魔軍，看淡世間的利欲，得時不貪着，失時無掛礙，這才算步入了解脫之門。

們若想在世間成就事業，一定要先成就自己的品德，昇華自己的人格，而從最基本的「隨時隨地尊重他人」做起。

生在世，不免時常會接觸到複雜的人事，而所謂「修行」——修養，就是藉複雜的「人與事」來練心。

有時候無意間的散播是非，雖然沒有傷害別人的身體，但卻可能毀壞了別人的名譽與形象，這種罪比傷人身體還要嚴重。因爲髮膚之痛只是一時的，然而名譽與形象的損傷，卻可能扭曲了人一輩子的人格。

修行得自己來，靠自己的精進來啓發自己靈明的覺性，我們不能期待不勞而自成的果實。

學佛要注重道與理、關心人及事。能以衆人爲重，不計個人得失，在日常人事中自我磨鍊，以勇氣衝破障礙，先

利他人，皆大歡喜，才是眞正學佛的精神。

除了對人與事必須信實外，論法也一定要合情近理；不可談神通變怪令人惶恐的言論。如此才能提高正信的智識水準，引導衆生向善的道路走。

修學者三要：一、赤子之心──直心是道場。二、駱駝的耐力──工作時有如駱駝的耐勞。三、獅子的勇猛──精進有如獅子的威猛。

同「同參」是同修間彼此相互砌磋，消除「習氣」，唯存淸淨佛心的意思。

「同道」是同修間有錯誤的行爲，可彼此互相更正，相互惕厲的意思。

「苦修」是要清心少慾，且磨鍊吃苦的心志。

修行者爲完成「德行」，日常生活不可離「四重」，即「言重、行重、貌重、厚重」：

一、言重：不可輕易戲論法，要培養「說法口」，所說的每一句話，都是要鼓勵人，解衆生的心結，所以「言重」則「有法」。

二、行重：即行儀莊重，「德」是由行爲動作中顯現於儀態，是故「行爲穩重」則「有德」。

三、貌重：待人接物要剛柔並濟，使人歡喜親近又不敢輕視，即孔夫子說的「溫而厲、威而不猛」，且有「溫、良、恭、儉、讓」的威德；反之，若是輕浮或過於隨便，所招惹的只是一份恥辱，故言「貌重」則是「溫威並重」。

四、厚重：亦說爲「厚德」，謂心寬意厚，恆常培養歡喜，善解人意，凡事無怨尤，樂於利益人群，則人人皆歡喜。吾人若想作一位受歡迎者，應自培養「厚重」之德。

、定、慧——「戒」是不起心動念，守住本分，戒掉一切名聞利養，自私貪念。「定」是遇到任何困境，都能守持志節臨危不亂。「慧」是能運心轉境，於平靜中去突破重重困難。

修行人的心境，要如「鳥過白雲，魚躍水面」，空中無跡，水面無痕，不爲消逝的事物所煩惱，持得心境安然自在。

古人說：「聖人無夢」，聖人在夢醒之後，並不把夢當一回事，睡就自在的睡，夢由它去，睡醒之後所面對的是踏實的人生與生活，不再去理會夢中事，精神不執着於夢境。

人一旦生活在憂愁惶恐不安之中，就容易喪失自信心，而陷於怯懦與逃避的深淵。

抱持著一個原則與信念——爲佛教、爲衆生，要有光明正大的行爲，再大的委屈與打擊也要忍受下來，凡事做到問心無愧的地步。

，難免會有灰濛濛、氣
的時候，只要能將最終目標
住，就能像冬天的太陽一樣
覺很溫暖。佛的弟子，就應
的精神為需要我們幫助
群服務，且應與眾生同苦
能做到這樣，人我一體，則
．一成的人生，亦稱得上

第八篇——理財之道

〔關於錢財〕

世間的人爲了財物，造了無量罪業，所以有句話說：「財欲就是禍水。」學佛要能提出慈悲的心、歡喜的心、勇猛的心來爲善喜捨。應認清世間的財物，只不過是給予人們資生而已。

多數人爲了追求名利，所以對人都不坦誠，諂曲逢迎、處處巴結，須知這是一件很痛苦的事，人若不能互相坦然相待，是多麼苦惱啊！想要沒有這些痛苦，就必須把得失心轉爲誠實心，坦然地取之社會、用之社會，取得有意義的錢財來

做有意義的事，光明磊落、坦坦蕩蕩的，不是更快樂自在嗎？

布施就是修福——有錢而捨不得用，存在金庫做守財奴，這樣便與窮人沒有兩樣，失去有錢的意義。而錢財用得不當，則有害身心，更會禍國殃民。世間財世間用，用得有意義，就是修福德的大好機會。

外之物若看不開，可比冬天寒凍，近火取暖，但太靠近它卻是危險的，猶如手拿燒紅的熱鐵必被燙傷。又世間的名利可比白雪，看起來很美的冰雪，在夏天喝來很清涼，但是在手中握久了，也會凍傷。眾生皆顛倒，明知財物及名利會

傷人身心，卻甘於被傷害。

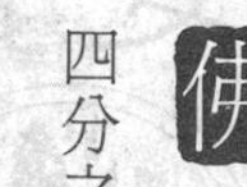
佛陀告訴我們四大理財要件：一、四分之一奉養父母，二、四分之一教育子女，三、四分之一用於家庭，四、四分之一投入社會公益事業。

錢會害人，但是錢也會救人，要好好利用錢去救人，不要讓錢利用了。

有錢有勢的人，若不知節制欲望則憂愁無量，不將名利看淡則精神生活必然腐敗，空虛無所依止，苦患無量。

，難免會有灰濛濛、氣

的時候，只要能將最終目標

任，就能像冬天的太陽一樣

覺得很溫暖。佛的弟子，就應

的精神，為需要我們幫助

群服務，且應與眾生同苦

能做到這樣，人我一體，則

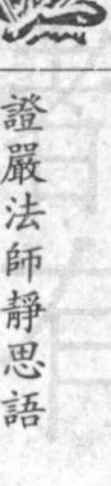

第九篇——在黑暗中點一盞燈

〔關於學佛〕

學佛者，最重要是培養慈悲心。若是失去了慈悲心，就失去佛教的精神。

學佛的人應正視「生」「死」，把握做人的機會，做好人間事，則家庭和樂，社會安寧，人和地吉，免除天災人禍，達到消災延壽、福祿綿長的境界。

學

佛就是學得心靈上常保歡喜自在，要得歡喜自在，必須行爲無過失，要行爲無過失就必須時常反省自己，設若能反省自己而無過失，旣解脫又自在。

信

佛而不去學佛，就是迷信；拜佛而不學佛，就不能算是佛教徒。學佛就是要學得像佛一樣，在未成佛之前，我們稱之爲衆生；如能學佛的修養，學佛的慈悲，學佛的智慧，認淸自己，體會宇宙的眞理實相，如此就是學佛、像佛。

端正自我的見解，需先用正確的理智、思想來透視人生無常，不管是貧、是富，也不管人間物質的貴賤增減，皆會覺得安然自在，沒有得失的心理，這就是——「學佛的正見解觀」。

每個人在過年前，總會把屋子內外整理、粉刷得煥然一新。學佛的人，心也要日日都像過年一樣，除舊佈新。做人也要時時刻刻把壞的淘汰掉，讓自己每天心地清新潔淨。

人生就因有遺缺不足的憾事，才會造業、犯錯，終致一失足成千古恨。學佛的人，就是希望脫離這遺憾的人生，修學圓滿美好心境，淨化的心靈，這才能得到眞正學佛圓滿的人格。

佛教中談因果福報，並非有錢才能造福，唯時時能以一份親切的愛心去關懷別人，多念佛心、多觀照自己、照顧別人，這份愛心便是造福的種子。

佛、耶穌都是爲救人而來到人間，做爲我們的榜樣，既然爲救人而來，就必須面對人生去克服很多的苦難，現出生命的光輝才是眞正宗教教育之人生；人生如能探出自我的本性與天職，自然做任何事都覺得輕鬆而無怨言。

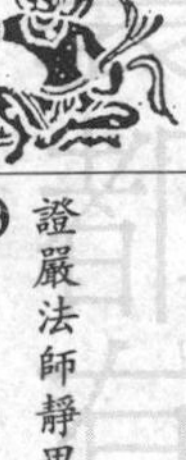

與性是同樣的，於佛心稱爲「性」，於人叫做「心」。比如，一杯白開水，它叫「水」，加上茶葉，它叫「茶」，加上咖啡，它叫「咖啡」，其實同樣是一杯水，但咖啡與茶都是水「以外的東西」。

教徒口頭常言功德無量。實乃對該作、該行的從不計較，無量的作，即時的作，不求回報，方爲眞正無量的大福報，亦即是功德無量。

佛，就是要善加化解煩惱，以及別人的不悅與刻意傷害。

佛所注重的是實行，不只是學問，還要身體力行。

避責任，尋求一生的清閒，就無法延續長久的慧命。

用

心一定要專，選擇必定要正；若朝三暮四，時時從頭開始，則永遠停留在第一步而跨不出另一步。

佛是爲衆生而學佛，做人是爲工作而做人。

生若能被人需要，能夠有一份功能爲人付出，這才是最幸福的人生。

佛是要和睦人間、和群人生，才是眞正的學佛。

年輕佛子時常耽於文字般若之中，若能以所學的文字功能來應用於實相般若，以口中呼出千眼，以行動引出千手，事理圓融，方是學佛眞諦。

未學佛以前，我們經常被「渴愛」所役使，心裏老是有欠缺的感覺；縱使一時間好像捕捉到了什麼，卻總是無

法安定落實。這就好像在乾旱的沙漠裏灑上一滴水那般，仍舊乾燥如初，起不了絲毫滋潤的作用。如今我們有幸學佛了，就要少欲知足，放下對周遭物慾的執迷，而常懷感恩之心，積極的節省有用的時間和精力，充實自己的良能與學養，朝眞正有意義的人生正路前進。

佛者一定要圓融人事道理，聯繫人與人的情誼，化解是非衝突。善意掩蓋他人的不良習氣，弘揚其良好德性，不評論他人長短，這樣的人生一定是可敬又可愛。

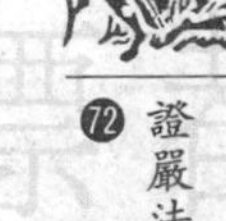

佛是盡本分，在什麼崗位即作什麼事，不要將人間事想得太渺茫，而忽略了本身就處在人間。

弟子聽法後，要從日常生活身體力行，謂之「受法」。

佛者，道心不可斷。道心斷，明燈暗；明燈暗，智慧失；就招來障礙道業的因。修行的人，當看好心念，莫讓外境轉滅吾人心中的明燈。

佛的修養，是要每個人保持平等心，以平等心看人生，修養到看見任何人都起歡喜心，用佛心看人，人人都是佛。

學

佛最初要先建立信心和信仰，要先知道爲什麼要信佛？佛究竟是什麼意義？何以要多聽經？經中內涵教育是什麼？這是初入佛門，應先探討的基礎條件。

學

佛一定要從最基本、我們做得到的工作做起，不要放縱時機，功德是時間累積起來的，路是愈早走愈快到達，德是愈早修愈早完成。

第十篇——在風雨中成長

〔關於逆境〕

若常常受到挫折，也要感謝天意的磨鍊。

我們要受得了天下的人、事、物磨鍊，方能成爲一個堅強的偉人。

極少有人能想到：今日平安健康，明日是否還能行動自如？今日財勢順利，明日有無不測？人常在「悔不當初……」之懊惱中。想做，卻力不從心，後悔太遲了。等到那時，罪業已是層層疊疊，甚至到了臨終時，惶惶不知所歸。

生境遇大都隨業而轉；「業」者有三：職業、事業、志業。

職業乃是為了生活所需，不得不就業工作——領人薪資，即必須付出一分勞力。事業，是職業的擴大發展，如大企業家們，除了追求自我的名利外，並提供大眾工作機會，調和社會的經濟結構。

對職業的專注或事業的投入，都只是局限在發揮小我的功能而已。做人應有一分自己的志向、願心、趣味。人生如果沒有利他的志向就不是人生，只是眾生。

佛陀爲衆生說法，即言人與衆生相去不遠；衆生皆迷惑於「我」的生活中；我們要超越衆生而成爲眞正的人生，就要有「上求佛道、下化衆生」、「荷負如來家業，救度衆生」的慨然承擔，此稱之爲「志業」。

勿輕言「挫折感」、「無力感」。縱然困難如石，也要鑽過去；更何況所謂的困難，可能如紙之薄。

自殺」所犯的罪業是：一、殺了父母所賜的身體，犯不孝罪。二、造自殺業罪。三、遺棄父母、先生(或太太)、孩子的罪。

面對互相的業力，不要埋怨。要用寬諒的心，來代替那份埋怨，用快樂的心，來代替心裏的埋怨。

有信心，就敢作。作任何事，不要受一點小挫折，即意志盡失。佛云：「入我門不貧，出我門不富。」只要大家提出佛門弟子的勇猛信心，該來的業障、病障，歡喜接受，隨緣消舊業。該來的讓它儘管來，該去時，亦會隨時間而消失。

人在平安的時候很容易迷失自己，偶爾若有小挫折與坎坷，這也是福，能喚醒良知與成長善根。

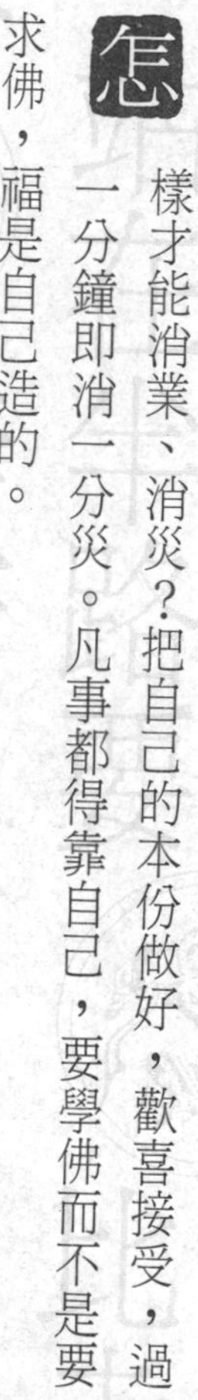

怎樣才能消業、消災？把自己的本份做好，歡喜接受，過一分鐘即消一分災。凡事都得靠自己，要學佛而不是要求佛，福是自己造的。

種如是因，得如是果，等到病障現前，自己身心不得自在時，子媳再孝順也只是盡人事而已。人在健康時，即應多做善事，利益人群，依此善因福果，爲自己鋪好人生健康之道。

過去的宿業所帶來的業障，要歡喜去受，就可以重業輕受，很長的業可以在很短的時間內受完，很重的罪也可以輕輕的受過去。

別人批評我們時，問心是否無愧？無愧則心安。

若有人扯後腿，要心存感恩。沒有人「扯」，練不出腿勁。

佛教徒本色，是不怕做事的，而且要積極地投入人間服務。在服務的過程中，心靈不被環境所轉，勇敢的突破萬難，難行能行，難忍能忍；做到別人不能捨而我能捨，別人不能行而我能行的地步，這才是「藉事練心」。

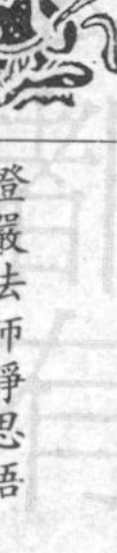

第十一篇——已經不殘而廢了

〔不肯走正路〕

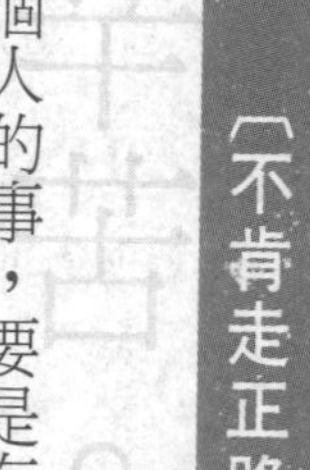

沒有腳只是一個人的事，要是有了兩條腿卻不走正路，那不知要害了多少人，毀了多少個家庭。

一個雙手健全卻不肯做事的人，就等於是沒有手的人。

人生應該要走正路，一個人如果正路不走，盡是走歹路，這種人比沒有腳的人還悽慘。

阻礙人們正路，遮蔽人們好的事情，破壞人們的發心，這也叫做魔，外面的魔沒什麼可怕，最怕的是自己的心魔。魔就是不知方向，不知所從，在內心起了擾亂，障礙了他人，同時也障礙了自己。

第十二篇—粒米成籮

〔積少成多〕

「粒米成籮」——一小粒一小粒的米，如果一粒一粒集合起來，就可成一籮的米，如果因一粒米小而輕視它、放掉它，那麼一籮的米，怎麼能夠形成？

「滴水成河」——滴滴的雨水集合下來，就可形成整條河水。

量功德——是在日積月累中，分毫累積聚集而成。

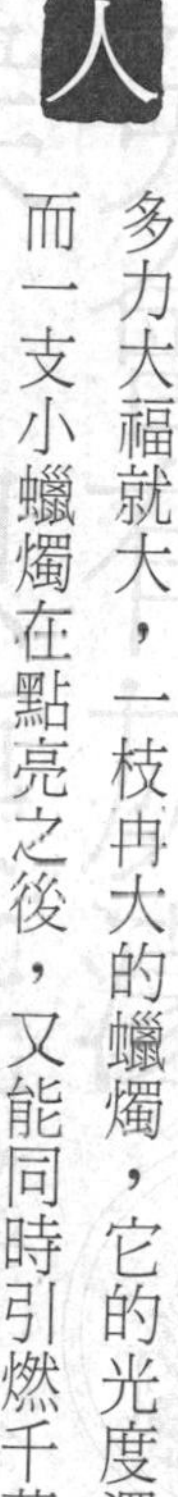

人多力大福就大，一枝冉大的蠟燭，它的光度還是有限；而一支小蠟燭在點亮之後，又能同時引燃千萬枝蠟燭，這千萬枝的燭光，就可照亮各個角落。

我們對自己固然應有一分自尊之心，但也必須有充分的謙虛之念，因爲每一個人在世間，絕對是不能一手撐天的。

做一切好事要把握時機，也要把握因緣，因緣消逝才想做就來不及了。有些人總是想要做好事，但都想等到自己有錢、或有機會時再去做，須知人生無常啊！只要有因緣，那怕是一點一滴的力量，也要趕快去做。力量、因緣會合起來，

就是無量功德，千萬不要等到發大財有大力量時才想做，有多少能力就做多少事，莫輕少善而不爲，更莫貪積財物而不施捨。

中，難免會有灰濛濛、氣佈的時候，只要能將最終目標定住，就能像冬天的太陽一樣感覺很溫暖。佛的弟子，就應佛的精神，爲需要我們幫助人群服務，且應與衆生同苦。能做到這樣，人我一體，則痛：「成功的人生」，亦稱得上

第十三篇——毒蛇陪伴的日子

〔貪、瞋、癡、慢、疑〕

人自身的煩惱，比身外的冤家更厲害，因此應該常常警惕自己，切莫使良知睡著了。良知一旦睡著，則殺、盜、淫、妄，種種罪業都會發生。

煩惱——就像一條毒蛇睡在你的心中，一旦動了它，蛇就會咬人。修行一定要把心中的愚癡煩惱去除，才可安心修行。

恚會害人，它能破壞處世善法，爲了一時的不能忍，不但破壞了處世的好名譽，也破壞了過去一切的功德及修養。瞋怒的心比猛火還厲害，猛火燒掉的物質，可用努力再失而復得，但一個人的人格如自我破壞，即使再多的錢也買不回來。

生之所以有天災人禍的痛苦，無不是從貪而來，「貪」不但帶來痛苦，也使人墮落，除了今生此世身敗名裂外，也會招致未來的業報。

想現在社會上的人，多數由「慾」所牽引而去造業。這個「慾」不知喪失了多少人的志節；敗壞了多少人的名譽。世人爲名爲利、貪求名聞而爭，不知害慘了多少人，慾能引誘人們墜入煩惱的深淵。人生的確是多慾爲苦，多慾能使惡業增長。佛陀教育我們看開這些物慾，防止物慾沖昏了良知，埋沒了良能。

眾生常流轉於愚癡生死中，醉生夢死，只知現在生的享受，爲求隨心所欲，造諸惡業。虛擲時光而毫無覺知，以爲日日如今天的安樂。不知「明月不常圓，好花不常開，好景不常在」的道理，因而不念無常變化於瞬間，極難預料，只顧耽着眼前慾樂。

凡大心常常是貪無饜足的。財產多，還要更多；權勢大，還要更大；男人既有嬌妻，還想要有美妾；先生好，還希望他百依百順，比人家好的還要更好；孩子乖，還想要聰明，考試第一名，又要他每學期拿獎學金，還要他能出國以光耀門楣。名利、物慾、愛情、親情……永遠都在無止境的追求中──在多慾多求的生活中，的確是苦不堪言，尤其易生犯罪心理，構成罪惡行爲。

心中無形的風災就是「無明」，心中無形的劍是指「嫉妒心」，心中的鬼災就是「心疑鬼生」，無形的心獄是指「入邪道法」，心賊會滅除善根，毀盡功德林。

佛法很簡單，只要去除貪、瞋、癡三毒，就可以明心見性；眾生煩惱多，所以佛陀才要開八萬四千法門對治眾生的八萬四千煩惱。

人生所以虛僞，只因貪慾心起……眞正要得眞「善」，眞快樂，就要心無雜念，去掉煩惱，無慾無爲，才是眞正的善道。

世間的盜賊偷東西不一定會把東西偷光，但只要你一念瞋心起，心中的賊，就可以把一切功德偷得無影無蹤。

生最大的五種病，就是「貪、瞋、癡、慢、疑」；而諸多煩惱及種種罪業，皆起於「財、色、名、食、睡」五慾的貪着，去除五慾則能啓發良知，開展良能，自度度人，饒益一切衆生。

般人在做事時，總是我慢心極高，有所付出就想有所回報，捐出身外財，卻招來煩惱業，所以布施若不是存眞正喜捨心，則這份布施非但沒有功德，反增造煩惱業。

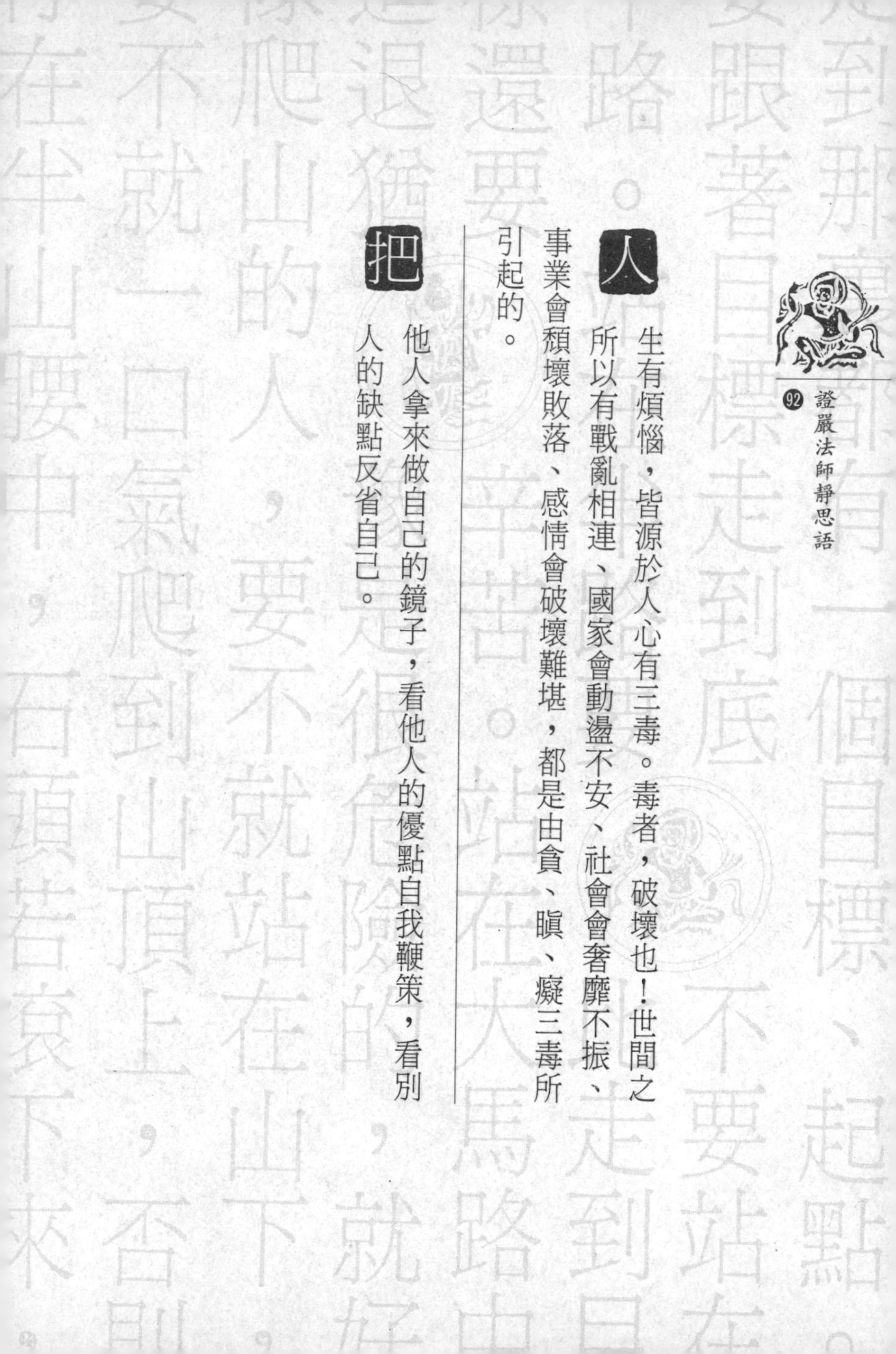

人生有煩惱，皆源於人心有三毒。毒者，破壞也！世間之所以有戰亂相連、國家會動盪不安、社會會奢靡不振、事業會頹壞敗落、感情會破壞難堪，都是由貪、瞋、癡三毒所引起的。

把他人拿來做自己的鏡子，看他人的優點自我鞭策，看別人的缺點反省自己。

是很危險的。人的

，難免會有灰濛濛、氣沉

的時候，只要能將最終目標穩

定住，就能像冬天的太陽一樣。

感覺很溫暖。佛的弟子，就應學

佛的精神，爲需要我們幫助的

人群服務，且應與衆生同苦樂

能做到這樣，人我一體，則可

得：「成功的人上人，亦稱尊上有

第十四篇—心上一把刀

〔忍辱〕

人生如果不能忍辱，就無法成就事業、學業與道業。修行一定要忍無量的苦，無忍絕不能有所成就，是故忍為修學佛法的重心。

過去生中的善惡業緣，若能歡喜接受，謂之忍辱。

要將山河大地、太虛裏的任何境界都包容在心裏，心不被境界所轉，才是出世的精神。

一個人要眞正的成功，必須人人都能容下你，你也能容納每一個人。

能夠「事忙而心閒」，盡一己之力，投注於人群幸福之道，忙時不失道心，閒時不迷本性，如此才能達到人生快樂的境界。

人與人之間相處在一起，難免會起人事上的煩惱，遇到這些煩惱就必須要忍讓，千萬不要讓心起了瞋恨；不但要護心，而且也要護口，不只心要忍耐，口也不能出一句惡言。

我們應該要有聖人包容萬物寬大的心胸，才能心境超脫，如果沒有這份寬大的心胸，儘管再怎麼信仰、拜佛，還是會墮入魔道。

忍——是能幫助你做好事、修好行的最大力量。持戒的人不一定能忍辱，能忍辱的人定能持戒。能持忍者，沒有什麼事辦不到的，所以說忍辱比持戒的功夫更大。

能忍辱的人，也一定能精進，能精進的人才能莊敬自強。一個人道德的昇華關鍵就在這份「能忍」；事能夠成功，也在於忍。假如每個人都有這份寬大的心量、這份忍辱的精神，那也絕不會有斤斤計較的事情發生了，所以說忍的威德是持戒修苦行所不能及的。

忍字刀下一顆心，心上一把刀，即是納受人間的一切缺點。能忍則對任何人沒有一點怨和恨，對任何事沒有一個難字。佛教說「因」、「果」，下過一番眞功夫，就會得到好因果。

要修行、要學佛，如果不能忍受別人對我們的毒罵中傷，那麼事事就會有困難。假如受人攻擊或陷害，千萬別起瞋恨心，應該起感恩的心，沒有壞人顯不出好人，沒有苦難的衆生也就不能顯出菩薩的寬忍愛心，所以我們應該把這些毒罵、中傷都忍受下來，像是喝甘露一樣。

第十五篇—心田不長無明草

〔談心〕

喜心是一種涵養，能令周圍的人都有如沐春風的喜悅感。

心應該都是一樣，都是與如來有同等的愛心存在，但由於後天習慣及習氣的不同，以致有了不同的言語行動，所以我們才必須要下功夫去修心養性。

境會動搖我們的心，「恆心」就如「滴水穿石」，要做到任何環境也轉不了自己的恆心，再大的困難與阻礙也要

始終如一，這種恆心就是佛教中的「定力」。

失身外財物並不可惜，可悲的是內心寶藏遺失了還無覺知；人人本有清淨純真的善（佛）性，因煩惱無明而遮掩了亮麗的寶藏。

人應時時持有「居安思危」之念，莫等「居危時方思安」，應慎重防範災禍的臨頭，修行人更要時時下功夫，以備四大不調時能安然度過。

初入佛門的修行者，要先磨鍊身體和心理。心理要禁得起周圍環境人與事的彼此磨鍊，心不動搖。在動中保持心的寧靜，再進一步下功夫。

聽話時，用適應說話人的心態去聽——聽年輕人的話用年輕人的心態去聽，聽中年人的話用中年人的心態去聽，聽老年人的話，用老年人的心態去聽，即得人事圓融。

佛陀常常教導我們，要安分守己，時時守在這份清淨無爲的心境中，把心安定下來，讓心時時寂靜，心靜自然能安分，能安分守己，自然能過著安樂的日子。

學「與「行」要均衡，修行者雖亦尚有習性煩惱未盡，只要肯發心度衆生，還是有度衆的功德；所以有：「煩惱即菩提」的說法。

人心比武器還厲害，武器是人心去創造出來的，不管是將它用於好或壞的地方，都是起源於一顆心。

想要圓滿慈悲、成就智慧，達成救濟與領導人群的力量，必要先從調和自己身心做起。

物質富有、地位高、有錢有勢，都是空虛的架構。眞正的富有是——心的富有——富有愛、有力是——心力；眞正的富有是心的富有——富有愛、富有慈悲。這份愛、這份慈悲，勢力不用大、地位不用高、錢財不用多，但是，有這份愛心的力量爲基礎，那還有什麼不能改革、不能引導的呢？

我們的心地若能時現光明，對人坦誠，彼此肝膽相照，就不必怖畏人生道路的障礙，也無須提防別人對自己不利。

心不專、念不一，做事就難以成就。若想心專念一，就必須把雜念心收攝起來，只留下淸淨的一念心，這就是「繫緣修心」。

時反觀自然，在動念行爲之際，檢討是否貪着名聞利養，久而久之，心靈自可提升到「月至上品諸風靜」，「心持半偈萬緣空」的境界。

月至上品諸風靜」，是指月圓當空時，大地一片清靜。我們的心若能修養到最高的品格，自然也是一片清涼靜明。然而，要怎樣才能達到「靜」與「明」的地步呢？有句詩說「心持半偈萬緣空」，佛陀所開示的敎法貴不在多，只要我們用心依一言半偈來修持，就可以得到莫大的助益。

個人心中都有一塊淨土——良善本性，若能抱持明淨無染，則雜草亂麻不生於心田，而且會常開智慧之花，永結菩提善果；不僅美化自己的人生，也淨化社會人心。

心淨則國土淨，要時常保護心念，不要讓貪瞋癡等邪惡毒害侵襲；要積極救護世界，不要讓災難破壞家園，不讓暴力充斥社會，更不能讓禍害污染大地……

地不耕種，則會雜草叢生。心田不植福，即生無明亂草；所以，行善布施須日日行、時時做，不斷精進。斬除惡念罪業、消滅無明煩惱，則能化荒蕪成大福田！

教有一部藥師經，裏面說盡人生身心諸多的病苦，其實人的身體有殘缺不算苦，人性的殘缺才是眞正的苦。世

間的災難，大都由手腳完好，但心靈殘缺的人所造成的；身體上的殘缺不可怕，如能堅強起來，還可現身說法來鼓勵其他病人，激發他們求生自立的勇氣。

如要保持常常快樂，就必須不把人與事當成是非。應把是非當成是一種笑話、教育，以增加處世常識。如果把事情當作是非，那永遠都會很痛苦。

極兇大惡，莫過於心中白我的煩惱賊，於毫無防範的情形下，不但毀了自己，也會毀了別人。所以，當我們靜下來想一想，善能自救，惡能毀己，生了一念善，不但可以自救，

還可以救人。起了一念煩惱惡念，不但損害人，也會毀滅自己。惡念起時，就是煩惱賊生，他會毀掉自我的善根慧命。

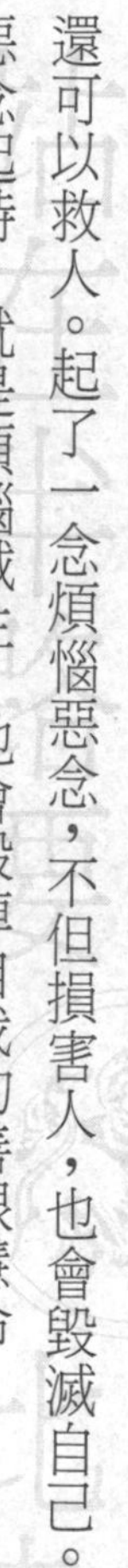

要想解除人間的災難，一定要從改善人心做起，說要救世，必先從心救起。人心健康了，那麼社會、國家，甚至於天下一切都能調順，人民和樂，自然世界就太平了。

佛陀一再教誡我們要好好調節自己的身心，把觀念好好運轉過來，把恨人、瞋人的這份怨嫌之心，轉過來化爲愛心、寬心，時時刻刻的去寬恕別人，發揮愛念。

把把貪的念轉爲滿足，把滿足的念換作慈悲，不但自我滿足，而且還可發揮「把慈悲供給別人」的那份愛心。

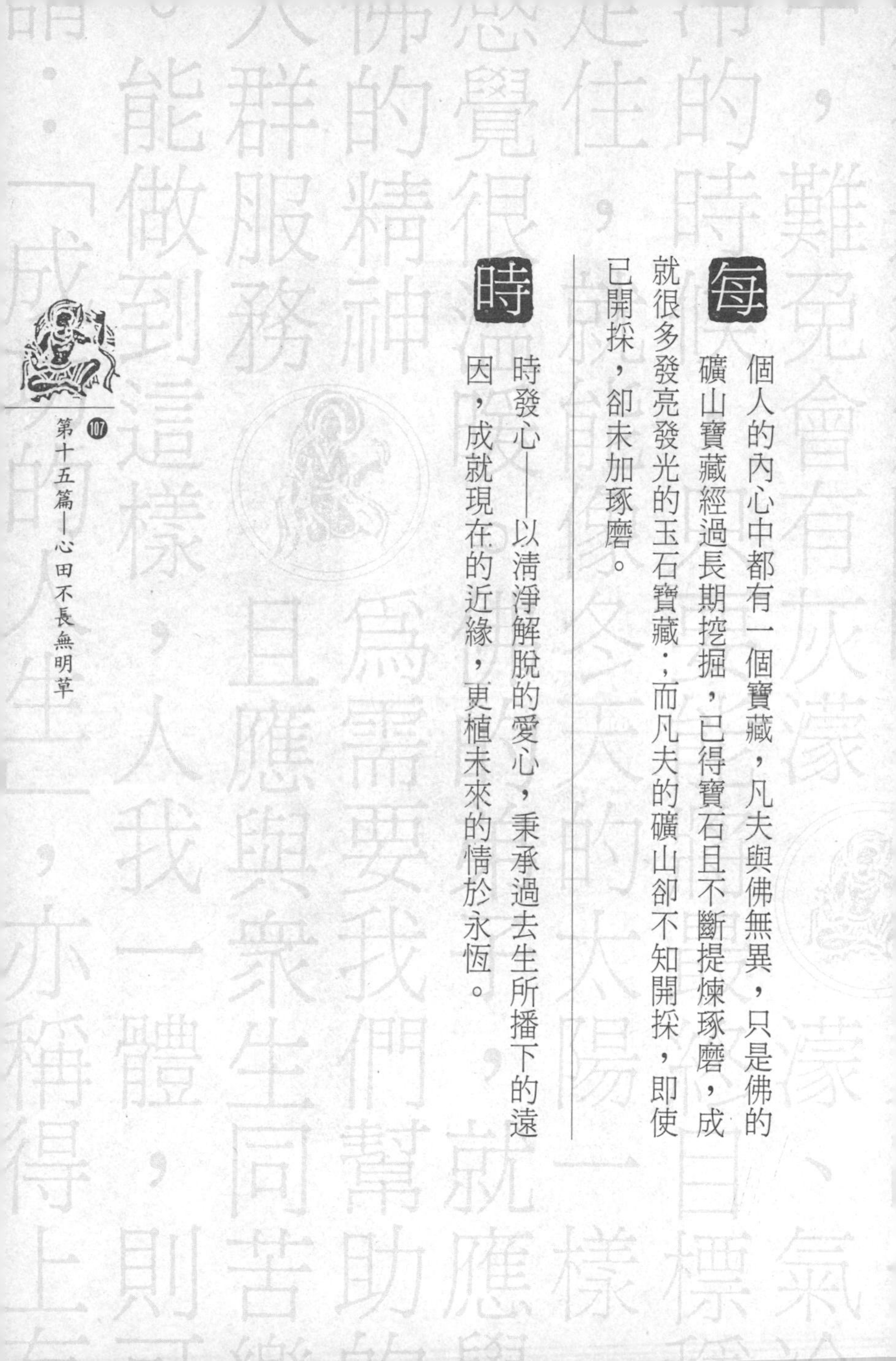

每個人的內心中都有一個寶藏，凡夫與佛無異，只是佛的礦山寶藏經過長期挖掘，已得寶石且不斷提煉琢磨，成就很多發亮發光的玉石寶藏；而凡夫的礦山卻不知開採，即使已開採，卻未加琢磨。

時時發心——以清淨解脫的愛心，秉承過去生所播下的遠因，成就現在的近緣，更植未來的情於永恆。

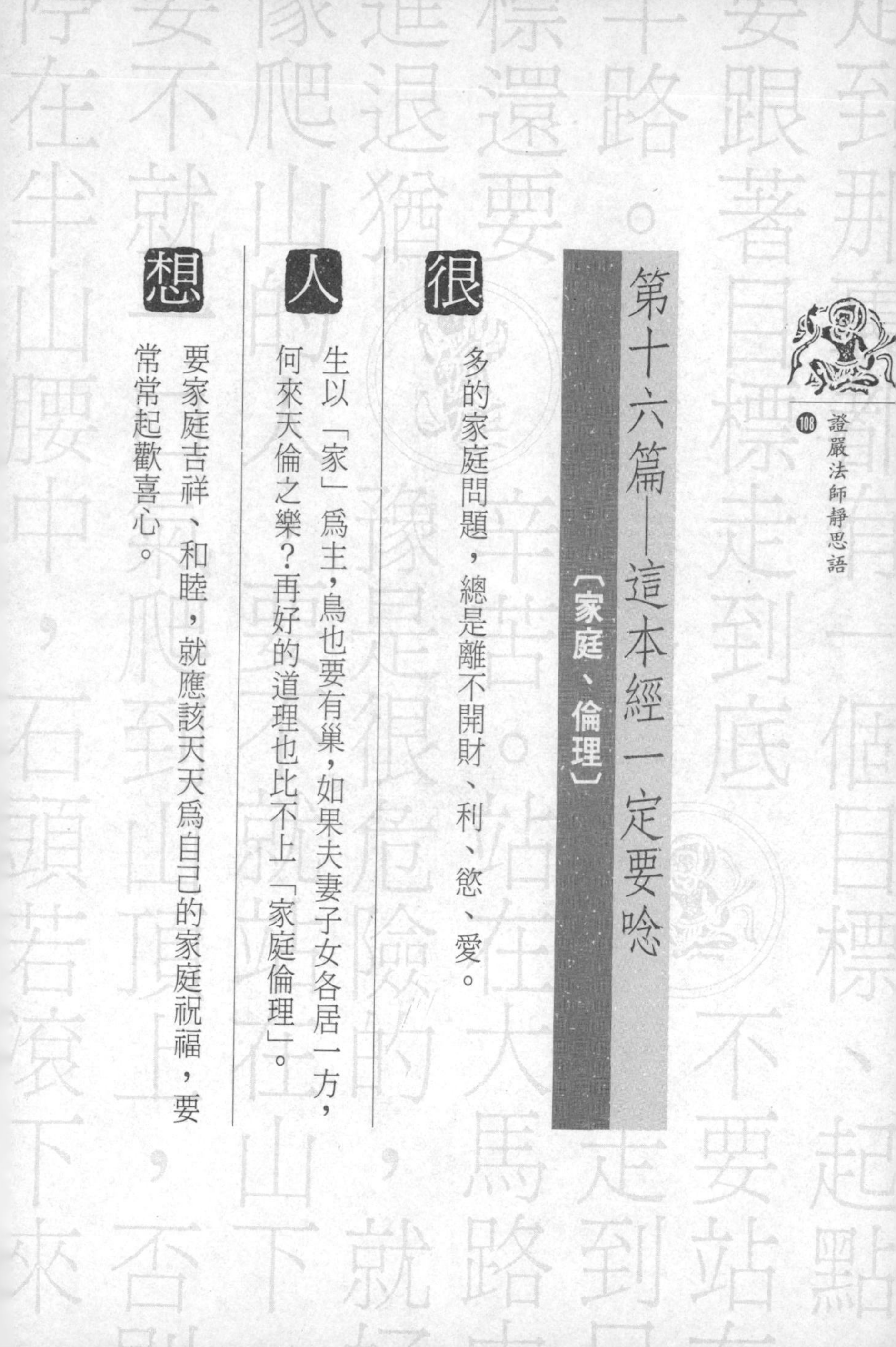

第十六篇──這本經一定要唸

〔家庭、倫理〕

很多的家庭問題，總是離不開財、利、慾、愛。

人生以「家」爲主，鳥也要有巢，如果夫妻子女各居一方，何來天倫之樂？再好的道理也比不上「家庭倫理」。

想要家庭吉祥、和睦，就應該天天爲自己的家庭祝福，要常常起歡喜心。

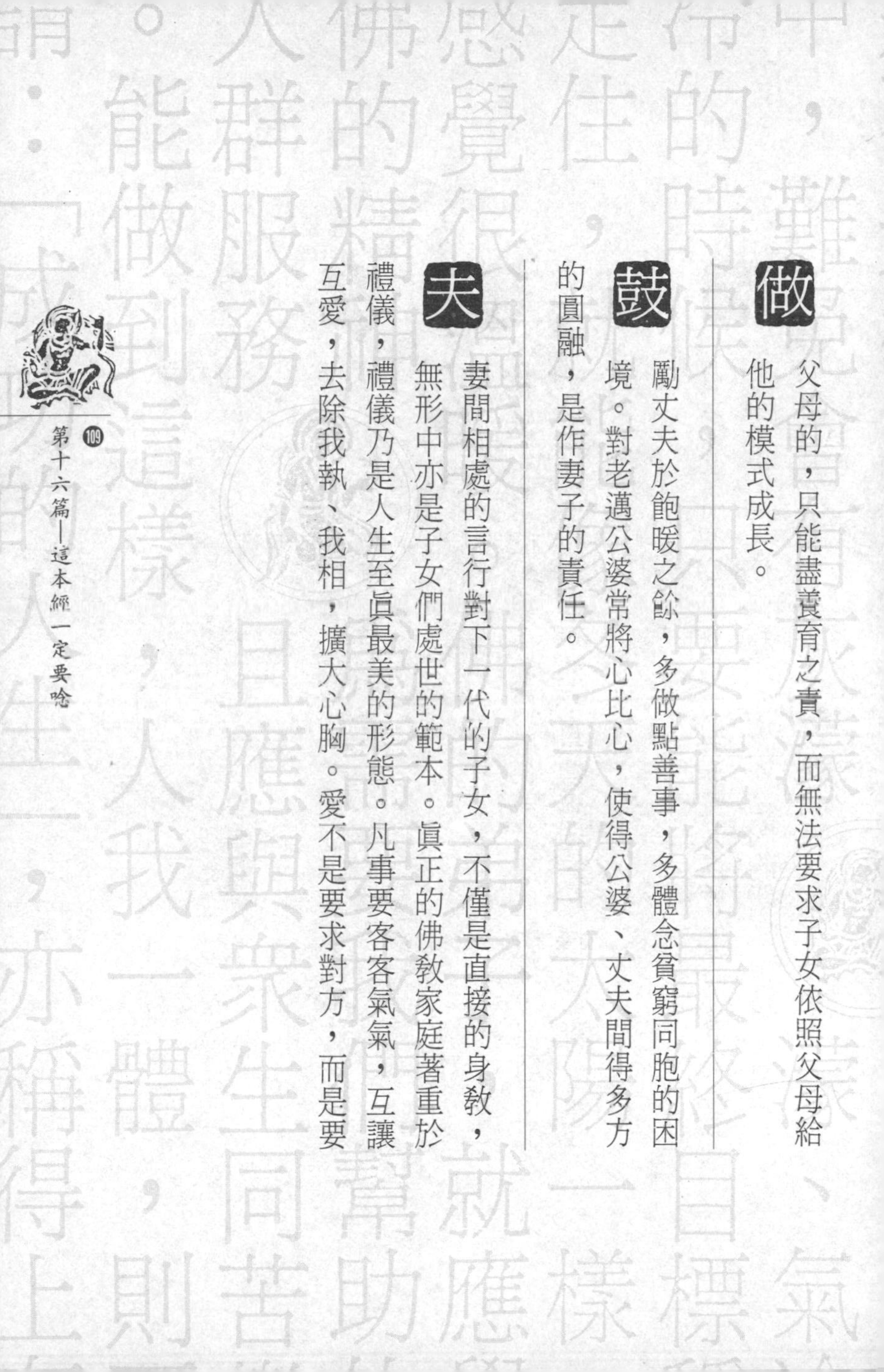

做父母的，只能盡養育之責，而無法要求子女依照父母給他的模式成長。

鼓勵丈夫於飽暖之餘，多做點善事，多體念貧窮同胞的困境。對老邁公婆常將心比心，使得公婆、丈夫間得多方的圓融，是作妻子的責任。

夫妻間相處的言行對下一代的子女，不僅是直接的身教，無形中亦是子女們處世的範本。眞正的佛教家庭著重於禮儀，禮儀乃是人生至眞最美的形態。凡事要客客氣氣，互讓互愛，去除我執、我相，擴大心胸。愛不是要求對方，而是要

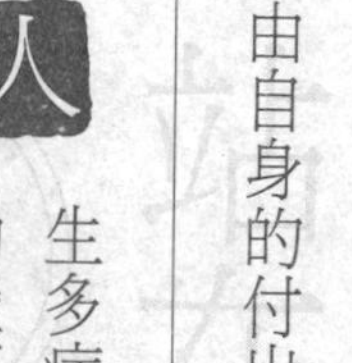

由自身的付出，無條件的奉獻，作到事事圓滿。

人生多病，身體四大不調是病，家庭吵嚷不和是病，社會動盪不安也是病。

身軀乃地水火風四大假合，既爲物質的組合，壞滅（病死）是絕對正常的現象。我自己也常受病痛所纏，但總是不以爲意的坦然承受；肉體可能是單薄虛弱的，精神卻可以是強壯康健的。

同樣地，一個家庭不該只是追求豐富物質生活，更該著重心靈的溝通，使得親子、夫妻之間的關係和諧、圓滿。須知家庭和諧，即使物質貧乏，仍是富在天倫之樂中；反之，則再多的錢財亦抵不過家庭失和的苦惱和缺憾啊！

近年來時有耳聞：「台灣的治安太差、生活品質不良，只好移民了。」移民是一樁多麼辛苦的事！好比將一棵土生土長、枝椏正盛的樹木移植別處，它除了得適應新的水土外，還必須面對新的節氣時序；而能否成長得如在故土般地茁狀茂密，則是個未知之數。

我以為，移民是消極的、逃避的行為；台灣四季如春、物產豐饒，如果把那分移民的心思，轉用於積極改善目前的社會環境——人人發揮菩薩精神，將整個台灣當做自己的大家庭，像對待自己的小家庭一般地去關心、整理、照顧，如此一來，

何愁我們的生活品質不能提昇？空氣、環境衛生、民風人情的好轉，絕對是指日可待的。

中，難免會有灰濛濛、氣
停的時候，只要能將最終目標
定住，就能像冬天的太陽一樣
感覺很溫暖。佛的弟子，就應
佛的精神。爲需要我們幫助的
人群服務，且應與眾生同苦
。能做到這樣，人我一體，則可
明：「成功的人生」，亦稱得上

第十七篇—人生進行曲

〔清淨大愛〕

人 要能發揮功能，才是「人生」；人若沒有發揮功能就是「衆生」。「衆生」才需要「佛」救濟；「人生」就能自救救人了，何需「佛」救濟。

道反省過去才是正確的人生，若只是隨著日子消逝，而紙醉金迷，這叫做顛倒衆生。

即是發自內心的一份自動自發的精神。有這份自動自發的精神，再辛勞都不會感覺得苦。

生在世，不能無所事事，懵懵懂懂，虛度一生，應發揮我們的良知良能，以佛菩薩的精神，造福人間。

活在世間，不脫離人群，有人難免就會有不同的見解、是非，有是非就會有坎坷困難的環境，這些都是必須去克服的。要克服難關就必須忍，有句話說忍一口氣、退讓一步，就會海闊天空了，這就是菩薩寬闊寧靜的境地。

做

人需要的就是一份平常的心，一份平凡的念。如果大家都自覺平凡，人生就平安了。

人生在世，有些人的生命重於泰山，但也有人輕如鴻毛，同樣的生命生活在人間，爲什麼有如此輕重的差別呢？最主要的原因就是在於——生命對人生的作爲。

如果一個人生在人間，每天無所事事，只爲自己的生活及愛欲在追求，這種個己的目標，的確是渺如鴻毛了；反之，能發揮生命力，造福人群，如此這個世界就少不了他，他的生命也就重如泰山。

天下事一個人是做不成的。何況我們生活在人間，必須要依靠別人才能生存。

舉個簡單的例子說：我們要穿衣服，衣服是否自己能做的呢？即使自己能做衣服，但也需要布啊！而布是不是自己能織呢?縱使自己能織布,但原料的來源,是不是自己可以生產呢?……總而言之,一條紗、一條線,都是來自群衆,我們也都要抱著感恩的心,因爲它得之不易啊!

所以應時時抱著感恩心。

人一旦「無所事事,虛度光陰」,精神就會委靡不振,失去生命的意義。

活在天地之間,若只是隨波逐流,讓形軀隨著時間而生老病死,那實在是沒有意義的人生;所以應配合社會環境的教育,及古今聖賢對我們的引導,好好探究「生從何來,死

往何去」，乃至人生意義何在的問題。

生的生老病死都是很正常的事情，與其煩惱它，倒不如每天都快樂的過日子。

人無樂趣，忙人無是非。吃飽飯沒事做的閒人，一定不快樂。然而反觀現今社會各個角落，到處人潮，無不都是匆匆忙忙，一副忙碌狀，但他們忙得大都不快樂。

爲什麼呢？因爲活得很無聊啊！人如若正事不做，卻忙著應酬、打麻將、觀光旅遊；這種「無所事事忙」，在飽樂之後，一定是疲倦與空虛。

可爲自己的利益，而用甘飴甜蜜的口舌迷惑人，到頭來也只是傷身敗德，害了自己。

滿的人生，不在於物質、權勢、名利及地位；而是人與人之間的關愛與情誼。

謂看開人生，絕不是悲觀，而是積極樂觀；不是看破，而是看透徹；並非什麼都不做，而是及時去做；也不是什麼都沒有，而是什麼都知足。

人生最踏實的事，是今日此時有多少力量就儘快付出去做利益人群、造福社會的工作。

肯付出心力爲別人服務的人，因抱持義務的精神，能夠心甘情願，任勞任怨；所以無論再怎麼忙碌，也會感到無限快樂喜悅。

人生在世，假若欠缺了愛，日子將了無生趣，毫無意義。但如果只是局限於染着的小愛，則容易損人毀己，造成傷害；所以應該發揮無色彩的清淨大愛，只有付出不求回報，讓被我們愛的人沒有壓力，歡喜自在。

生的眞、善、美，是在我們的形態中表現出來的。形態的修養能美化人生；慈心不能缺乏親善的態度，智慧不能缺乏謙虛，有智慧才能分辨善惡邪正；有謙虛才能建立美滿人生，所以，智慧和謙虛二項，一定要平行。

人生是個舞台，有些人一生勞苦，有些人先苦後甘，也有些人先甘後苦，所以說人生是無常的。誰又能下斷論說誰最幸福呢？只有愛的精神最可靠。人生最堅固的愛，就是寬大慈悲心，無我的精神，眞正的教育；這就是無形的財產，也是人生最幸福的財富。

佛陀訓練弟子要有一份寬闊的心胸，如能以他人的快樂爲自己的快樂，以他人的富有爲自己的富有，能這樣就是永遠最滿足的人生，也是永遠最富有的人生。

人無時無刻不處在無常的流動中，也常常處在無明風雨交加中，唯能時時自我警惕才可以過一個平安的人生。

人生猶如一場戲，種種的人事煩惱，要隨著幕升幕落，不要執著於心上；若能時時刻刻淸除內心的煩惱，化爲一股淸涼的悲心，即是菩薩的智慧。

懈怠的人是一定會墜落的，人生必須要上進積極，不因境遇的得失而喪失生存的鬥志。

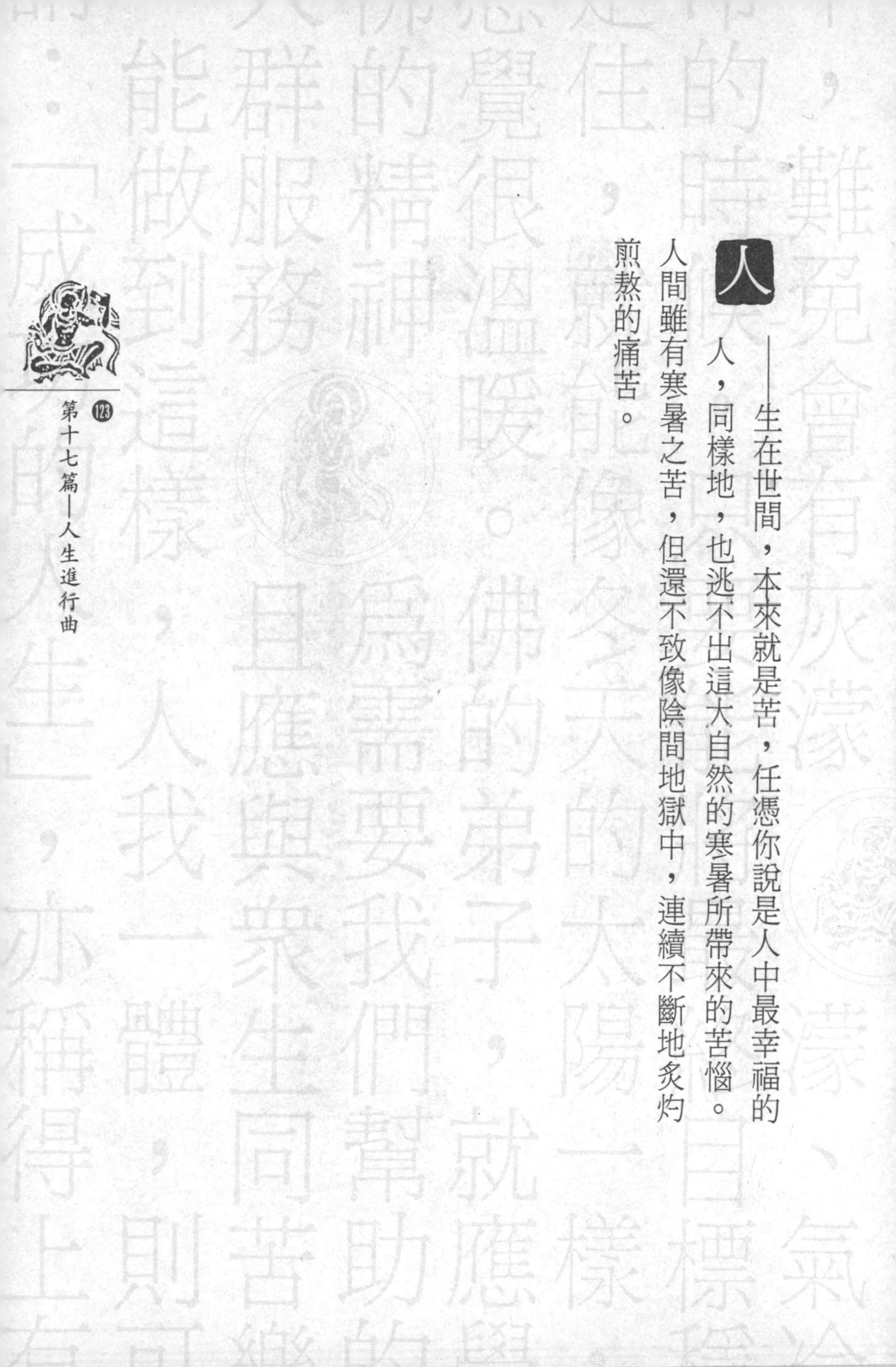

人——生在世間，本來就是苦，任憑你說是人中最幸福的人，同樣地，也逃不出這大自然的寒暑所帶來的苦惱。人間雖有寒暑之苦，但還不致像陰間地獄中，連續不斷地炙灼煎熬的痛苦。

第十八篇——都是大家的努力

（服務、責任與感恩）

人的生命是短暫的，但時空是天長地久的，幾千年來人事的變動頻仍，但人間的需要卻永遠不斷。

爲了服務人群而生活的人，是不畏辛苦勇往直前的，只爲了願心與歡喜心，不惜承擔更重的責任，只要衆生能得救而離苦，就滿心歡喜，別無所求。

人要培養堅強的獨立性格，不要有依賴性，擔子雖重，只要有心，沒有挑不起的擔子。

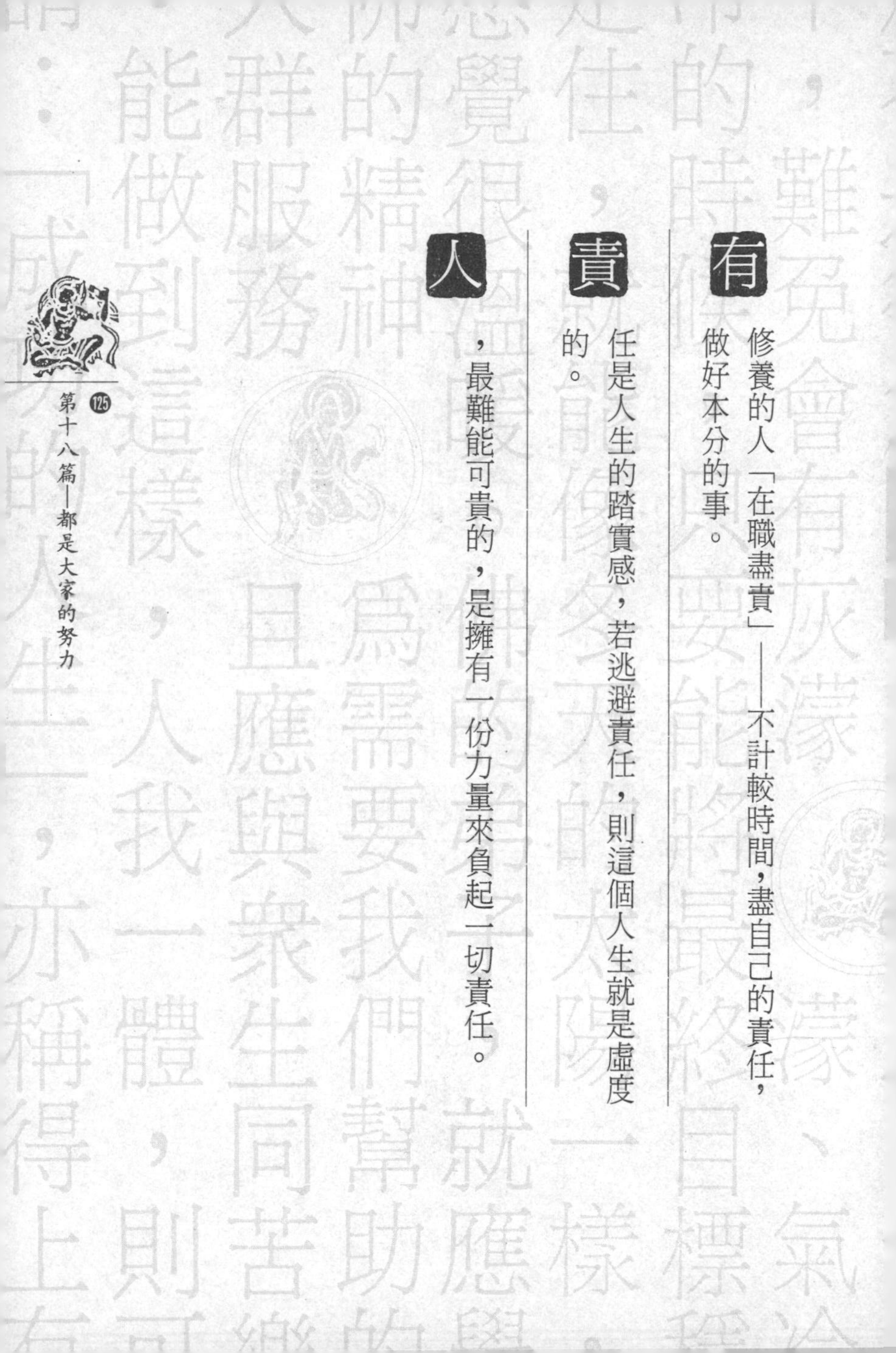

有修養的人「在職盡責」——不計較時間，盡自己的責任，做好本分的事。

責任是人生的踏實感，若逃避責任，則這個人生就是虛度的。

人，最難能可貴的，是擁有一份力量來負起一切責任。

不要貪求清閒，逃避辛苦，希求減輕責任，應該但求增強自己的力量；只要有了力量，就可以擔當更重大的責

最平淡的日子裏，心裏最爲安定；因爲沒有患得之心，相對的便沒有患失之苦。

一個人若時常抱著感恩的心，好好思考日常生活的來源，就應該知道，社會人群，不是一個人可以生活的，我們要靠社會一切衆生的幫助才能維持生活。既然如此，我們應該取於社會，用於社會，多付出，多幫助人。

們要感謝被救的人，讓我們有行菩薩道的機會，他們的示現，也向我們闡示「苦空無常」的人生，當我們生活安穩，四肢健全的時候，怎可不好好把握，充分發揮生命的功能呢？

真正的少欲，除了無欲無求外，還要有一份感恩的心。布施，並不是要對方來感謝你，而是你要感謝他，因為有缺乏的人，才能顯出知足者的人格；有需求的人，才能顯出無所求者的偉大，所以應該時時培養感恩的心。

第十九篇—精神的抗體

〔信心、毅力與勇氣〕

要

有毅力在逆流中，不隨潮流旋轉而去。

勇

氣不可失，信心不可無，世間沒有不能與無能的事；只怕——不肯。

苦

幹象徵毅力和耐力，是故欲成就大業，需擁有苦幹的精神。

灣在經濟富有、政治自由之後，要加強提升精神文化，讓人人心靈淨化。

們的精神一定要有抗體才能免疫。我們要有定力，思想不要被外在的環境或人事所左右，每個人都要有堅定的信心、毅力和道德勇氣。

人生的精神文化非常重要，精神文化充足富有，縱使生活得很平常，也一定會感到樂在其中。

不論路有多遠，不管我們的能力有多少，總是要隨分隨力盡量去完成要走的這條路，此即是「毅力」。

既然是學佛，就要培養正信，對自己有充分的信心，拿出勇氣來降伏憂愁、欲念，這樣才能獲得輕安和解脫。

我們若對自己有疑，就容易墮落沈淪，迷失了人生的方向；若對他人有疑，就無法與人建立善緣，即不能成就有意義的事業。

有句話說——「靜時養氣，動時練神」，靜的時候練氣，可以磨鍊我們的氣質與品德；動的時候則要統一精神，將心念統攝爲一。

有些人渾渾噩噩的虛度一生，一事無成，原因就在於他缺乏面對現實人事的信心與勇氣；而心性軟弱之人，也較容易為人事問題困擾。

信佛不是求得財勢名利，而是要使人人對自己有信心，培養自己的毅力，發揮自己的勇氣，要訓練自己莊敬自強，而不是去依賴他人。

所以，我們要以身作則，端正心念，用最質直的心來接受佛陀的教育，踏踏實實地為社會人群付出。

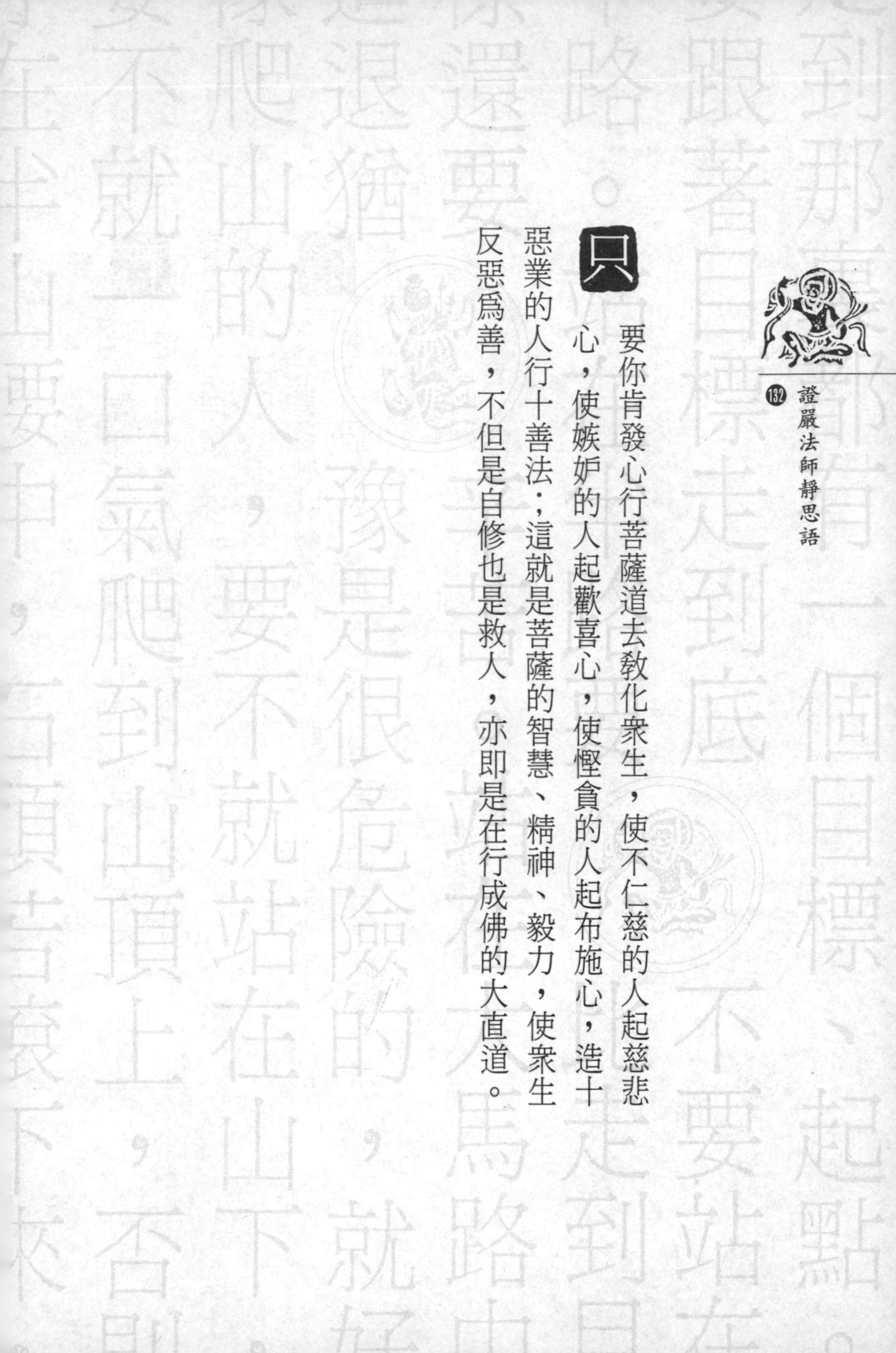

只要你肯發心行菩薩道去教化衆生，使不仁慈的人起慈悲心，使嫉妒的人起歡喜心，使慳貪的人起布施心，造十惡業的人行十善法；這就是菩薩的智慧、精神、毅力，使衆生反惡爲善，不但是自修也是救人，亦即是在行成佛的大直道。

，難免會有灰濛濛、氣泠
的時候，只要能將最終目標
住，就能像冬天的太陽一樣。
覺很溫暖。佛的弟子，就應該
的精神爲需要我們幫助的
群服務且應與眾生同苦樂
能做到這樣，人我一體，則可

第二十篇——常常汲取井水

（吉祥、幸福、快樂）

成

就福業有四種方法：恆行法施、起大悲心、度化有情、忍辱定靜。

善

得千福的意思就是付出愛心。說是付出，其實就是最大的收穫。因爲能施與人的人，總比受施人更幸福。

應於富中修慧，兩者平行齊進，取之社會、用於社會，擴大愛心，即是求福修慧。

布施者心靈上常得到安詳和快樂的感覺。受惠施的，能得生活上的飽暖，心靈與精神也能夠感受到人間溫情的滿足。

吉祥——就是一切災患惡事不近身，凡事都能大事化小事，小事化無事，這就叫做吉祥。吉祥是福的一種現象。

有時候富有並不代表幸福，眞正的幸福是「安詳」。

慈、悲、喜、捨是佛教的精神中心，因爲衆生不能捨，才用很多法門來磨練，磨來磨去只爲一個「捨」。

「世間無常，國土危脆」，人生在世，何必要錙銖計較呢？其實現在心安即是福、當下能做即是福、眼前歡喜即是福。

若能對別人原諒一分、讓一分，就能得到十分的福。所以說：「心寬就是福。」

汲取井中水，井水永遠是八分滿。布施造福就可比汲取井水，任你汲取多少水，井中之水依然不減。做福是增福，不做福，當然福亦不增。如井中水絕不會因你不汲取而使水位增高。

利用時間，多發揮生命功能，利益一切衆生，在付出時，會覺得生命更踏實，更有意義，一點都不會感覺人生過得很空虛，此即是幸福感。

每一個人都希望自己能快樂幸福。但幸福與快樂並不是用物質來衡量的，而是一種精神上的感受。精神上如能常常滿足，就是最幸福的人生。有滿足思想的人，自然他的心量也是開闊的；有開闊胸襟的人，自然對人、對事就不會去計較。

病是人生最痛苦的事，也是最無可奈何的事。有句話說：「英雄最怕病來磨！」所以身體健康就是福，身體不健康，再多的錢，再高的地位，都沒有用處，只要身體健康，即使是過著平凡的日子，也會感到幸福。

做人應該要有一個正確的觀念，那就是要常常爲自己及子女祝福，當我能幫助別人，能爲社會福利事業盡一分力量時，不管多少的能力，都要盡心盡力付出，一點一滴都是有用的。有一分心，就有一分力量，每個人的功德心都是平等的。

中，難免會有灰濛濛、氣作的時候，只要能將最終目標定住，就能像冬天的太陽一樣感覺很溫暖。佛的弟子，就應佛的精神。爲需要我們幫助大群服務。自應與衆生同苦。能做到這樣，人我一體，則明：完成的人生，亦稱得上

第二十一篇——心靈的解脫

〔慈悲與智慧〕

起大悲心，把衆生的苦當作是自己的苦痛，把衆生的悲苦當自己的悲憐，就可做濟世利行的工作。

心靈的解脫——必須於修學佛法中，及在苦惱的衆生中起勇猛精進心，起慈悲心、喜捨心，受持佛法，救助苦難人，這才能獲得人生眞正的意義、心靈的快樂和生命的永恆解脫！

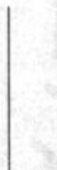

願——我們的慈悲心永恆地散布給每一角落的衆生，使他們像是沐浴在溫和光亮的月光下，得到清涼快樂！

有慈悲的人，就會有柔和的風度；慈悲柔和可以化解人的煩惱。

不要輕視己靈，衆生與佛有同等的智慧，同等的慈悲愛，佛能我亦能。

慈悲——是以愛人仁德爲體，以誠正和睦爲用。

以

佛心爲己心，以師志爲己志：「佛心」是四無量心——大慈、大悲、大喜、大捨；「師志」是慈濟志業——慈善、醫療、教育、文化。

時

時保有快樂的心境，把快樂的氣氛帶給你四周的人，此即慈，就是喜，衆生有苦難能及時爲其拔除，即是悲；而把自己所知所懂全部教給別人，不留獨家祕方，這就是捨。

用

智慧遊戲於人間，自然就不會被癡迷的感情所束縛。如果有感情的癡迷，就會心地黑暗，所以必須要有智慧，去點亮心靈上的光明，去除種種癡暗。如能把感情擴大，就不會有癡迷，因爲你能擴大這份情，就是菩薩清淨的感情——覺有情了。

修習佛法並不是要學聰明，而是要學得智慧，智慧是由定而生，若心能專、念不散，從事入理，則能產生智慧。

般若就是智慧，做人做事都必須用智慧去選擇，有智慧的選擇才可成就功德道業，若能依禪定爲父，般若爲母，那就可以得到解脫的如來法身，亦是自己修持的功夫。

什麼代表智慧呢？那就是仁慈善良。有仁慈、善良的人，能樂人之樂爲樂，利人人之利爲利，即是眞正的智慧，

如果利己之利，就叫聰明。

慈悲——「無緣大慈，同體大悲」，這是佛教徒精神的中心，佛教如失去慈悲的本質，就失去推行於人間的價值。

正的智慧人生，必定有誠意謙虛的態度，菩薩的儀態，就是柔和謙虛。講話要溫和輕柔；態度要謙誠親切，讓人人身心得到溫暖而安樂的感覺。

明的人，其心地常充滿熱惱，需善用智慧的淨水來沖洗，使能透澈清涼。

中，難免會有灰濛濛、氣
佛的時候，只要能將最終目標
定住，就能像冬天的太陽一樣
感覺很溫暖。佛的弟子，就應
佛的精神為需要我們幫助的
人群服務，且應與眾生同苦樂
能做到這樣，人我一體，則可
明：「成功的人生」，亦稱得上有

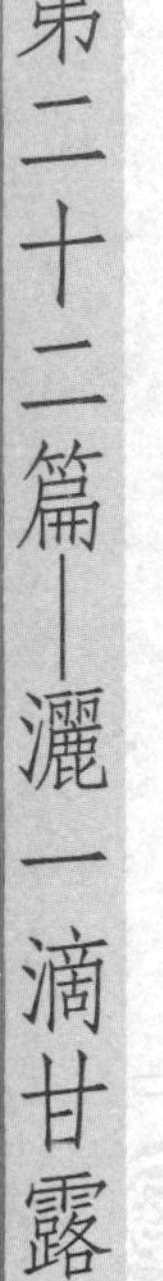

第二十二篇—灑一滴甘露

〔少慾知足〕

人應該摒除嫌棄自己不如人的心念，用心於如何對待別人、幫助別人，這才是眞正少慾知足、快樂的人生。

不知足者只因欠缺了智慧；世間的物質本來是爲人所用，而不知足者都變成人被物用了。

有求即多苦，如一味的要求人，只爲自己招來無窮苦惱。

人心的慾念好比被太陽照射的沙漠一樣，是那樣乾燥飢渴；而佛法則好似甘露法水，時時滋潤著衆生乾渴的心田。

我們若能將慾望減低，那麼生活上便沒有什麼煩惱值得計較了。

學佛的第一步即是要少慾知足，使心靈安住，智慧增長。

察人，若看他經常穿著樸素，衣冠整齊，並常保身體的潔淨，就可以斷定他的人生應是踏實的。反之，若對方經常變換服裝的款式，並以此炫耀自豪，那我們就能確定此人極爲虛榮，其內心的物質慾望永無止境。

人生活在五慾中，永遠都有塡不滿的不足感——苦惱。擁有了一份，就還想要更多。愛慾的心始終無法滿足，一直都在欠缺中。人如果能有自我心理的滿足，就是處於最安穩快樂的環境中。

世間的物質，再怎麼努力追求，也沒有滿足的一天。人都是在不足中造業，在不足中煩惱，無限的愛慾與情慾，就是人生苦惱的根源。要除去這些苦惱唯有用「知足」的方法。

知足，生活才會富樂安穩。「知足之人，雖臥地上，猶為安樂。不知足者，雖處天堂，亦不稱意。」

不知足的人，即使再怎麼富有，與貧困的人相差不了多少；而貧苦的人，雖然物質上較缺乏，但如果知足，他的心靈上也會很富有。

知足的人，凡是利益人群的事，即使他只有一分力量，也可以發揮一分功能，為人群奉獻愛心；有愛心的人一定知足，能知足的人就是富有的人。所以說，富有並不是以物質、財產的多寡來評斷。

做人應該時時滿足於現狀，常常歡喜目前已擁有的一切，勤儉自己，發揮溫暖於社會上。世間有很多需要我們幫助的人，你有物質，你就奉獻物質的力量，你有時間，你就奉獻時間來參與愛的工作。有錢出錢，有力出力，這就是無量的福慧功德啊！

病中愉悅自若的笑容是最美麗動人的，病患的笑容猶似烏雲散盡後的熙日陽光，那份燦然，讓家屬親人、醫師、護士都跟著安心寬懷。

第二十三篇──千錘百鍊之後

〔「我」怎麼說〕

他人無法要求把「不可能」的事變成「可能」；但若自我要求，可以將「不可能」的事轉爲「可能」。

的個性，不要像山上剛炸碎的石頭，每個角度都銳利又刺人，要如海灘小圓石的光滑，讓人摸了很舒服。

他人可以裝傻一點，對自己要精明，不可以裝傻。對自己若裝傻，就會空過時日和人生。

輕己靈，即使是一根小螺絲釘，也要注意有沒有鎖上、鎖緊。

要將自我看得太重，人就是因爲有一個「我」做中心，才會有病態、有麻煩，要將「我」看淡些，世間無我。

們無法在自己的思惟中求別人的完美，要求別人完美，倒不如先要求自我的完美；要別人都來適應自己，不如自己去適應別人。

欲使衆生拔苦得樂，就必須以「智慧」爲中心，以「方便」爲工具。

人往往都不知道自謙，懂了一點點，就認爲自己很了不起，把「我」塡滿了自心，起心動念沒有一刻離開「我」，凡事以「我」爲中心，自認爲「我」說的比你有道理，「我」做的比你好，時時「我慢」塡滿了心。

把「我」仔細分析一下，在未出生之前我是什麼？出生在人間我又是什麼？今天與人計較，我又得到什麼？到底哪一天、哪一時刻所留下的，才是實實在的「我」呢？你會發現，每一個「我」都是虛幻的。

個人的言談，是人格的表現，關係一生的信譽；立足於社會，最重要的是要能取信於人，所以本著篤信、誠實，慎守口業，則能樹立自己的品格。

人批評時等於是上了一課。應該認眞聽、仔細做，謹愼言行；去除我慢心，無我執、無我相，修心養性，端正行爲。

塊鐵要再造成精利器具，必須先經過洪爐烈火的熔燒、鍛鍊；同樣的，別人對我們的惡罵，就像洪爐烈火在燃燒一般，如經得起燒、經得起打，那麼縱然是一塊廢鐵，也可

以煉製成一件精美的利器，所以一個成功的人是經過千錘百鍊而來的。

們應該要常常反省自己：我有愛心、好心，但我有沒有發揮出來呢？我的言語行動又是否有違失不檢點呢？如能常常檢討自己、反省自己，不讓行爲有所偏差，不讓觀念有所錯誤，也就絕對不會有缺失過錯了。

時時受到周圍環境影響而起心動念，接觸順境時，就高興地得意忘形；遇到逆境時，則煩惱悲泣，這都是受境界所牽制而喜怒無常，心隨境轉，動盪不安。

，難免會有灰濛濛、氣
的時候，只要能將最終目標
住，就能像冬天的太陽一樣
覺很溫暖。佛的弟子，就應
的精神。爲需要我們幫助的
群服務，且應與眾生同苦樂
能做到這樣，人我一體，則可
：「成」的人生，亦稱得上有

第二十四篇—兩手空空放不下〔捨〕

無量功德的成就，就是無量煩惱的消滅，也就是捨苦惱的此岸，到達極樂的彼岸，謂之得度。

要常常爲自己祝福，念念解脫自在。

人在世間，不離世俗事，如能釐淸人我是非，拿得起放得下，看得開想得遠，凡事認眞、盡本分，圓融了人事習俗，即是通達了俗諦。

能夠透徹了解佛陀所說的一切眞理，得清明般若，心正念定地不被外境所轉，此謂通達眞諦。不執著眞諦，不被俗諦所綁，圓融眞、俗二諦，平衡事、理，是爲良諦。

去一分鐘前的煩惱才能擁有慈悲，也才能嘗到法喜充滿的快樂。

們的意識，如何才能達到生死自在的境界？唯有靠平常培養能「捨」心，方能有提得起、放得下的心境。

第二十五篇——無量悲願力

〔從慈濟志業說起〕

時 時刻刻心在慈濟，要勇敢，面對現實，遇到困難，要歡喜的去承擔，把握人生做好事，聚合大力量為眾生。

慈 濟委員具有菩薩的悲心，散佈各處，形成「一眼觀時千眼觀，一手動時千手動」的「千手千眼觀世音菩薩」，俱足濟世的無量悲願力。

做 義工有三要：一、要不畏苦、能耐勞。二、要愈忙愈開心，愈做愈活潑。三、要柔和自在，例如知道病人得了癌症，也不要表現憂愁的氣氛，要放輕鬆自在，理智地開導病患。

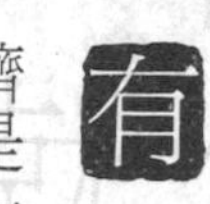
有福報的人賺錢很輕鬆，是計「秒」賺錢，福報差的人，一輩子勞勞碌碌還一事難成，這就是欠缺了「福業」。慈濟是一方大福田，能夠讓大家種下福因，延續到來生收獲福的果實。

慈濟委員須先調整自我美好儀態，右肩荷擔佛教精神，左肩荷擔「慈濟」形象，胸前佩掛著自己的氣質。

從事慈濟工作要提起眞正「義務」的精神，大家互相鼓勵幫助。有人爲一點不如意事或眼前逆境，即以爲自己是世上最可憐的人，但如果客觀的與上下相比，往往比上不足、比下有餘。做人應該立好志，發好願。

做慈濟猶如推車上坡，參與的人要努力往上走，不可停頓；一停，就往下坡滑落了。

慈濟工作在啓發社會人心良知、良能，若多一位慈濟人，就能少一個壞人。

目前的社會風氣很亂，是因爲衆生在富足的物慾下養成了浪漫的習性，慈濟工作就是要調整人心，把浪漫調整爲

樸實，把人們認為無聊的時間善加運用，引導眾人去做有意義的工作，如此家庭即可幸福，社會即可安樂。

——能成就一切道業，而道業也一定要「把握因緣」才能成就。「慈濟」可以說是修行菩薩道最好的因緣。

社會，與其擔心，不如化作信心，更要付出一份愛心。

要

成就菩薩道就必須經得起磨練，一支鋒利的利器，必須經過火煉、水凍、鐵打才能成器；我們要做慈濟、做菩

薩，就必須要認眞去做本分的工作，遇到困難，必須再接再厲地去克服。

，難免會有灰濛濛、氣
的時候，只要能將最終目標
住，就能像冬天的太陽一樣
覺很溫暖。佛的弟子，就應
的精神。為需要我們幫助的
群服務，自應與眾生同苦
能做到這樣，人我一體，則可

第二十六篇—飲一杯智慧水

〔渡、無常、精進〕

渡的意思就是救倒懸，普是「普遍」，渡是從此岸渡到彼岸，轉苦爲樂。

根普被的意義爲：知識高的人接觸佛法，會覺得佛法廣博精深；知識中等的人會覺得佛法很受用；知識低的人，也會覺得佛法給了他依靠。

助念佛號，其實是安慰即將往生的人，使其心不懼怕，得心靈安詳。如果以爲臨終時只要依仗助念佛號，一定能

往生西方，則人人就不用修行了，因果也沒有了。

打佛七，是學習如何禮佛，及佛門儀規（法則），認眞聽法，將聽來的佛法銘印在心中，好好清淨身口意三業；如此打佛七才有功德。

行法施，用長久心來法施。有恆心就不會有痛苦、煩惱、懈怠心，絕對可以得到智慧。

要怎麼造就呢？知福、惜福、造福，成就大福田，大福田爲恩田、敬田、悲田。

恩田是：孝養父母，尊敬師長；敬田是尊重佛、法、僧三寶；悲田為看顧病人，救濟貧困，憐憫眾生。

藥

「藥師經」是佛陀所說的法，針對現世人間種種苦難的形態，眾生有身體病苦、心理病苦、身軀殘缺苦；佛陀為了引導眾生在富中得到快樂，在身心病態中得到幸福和健康，所以開示「藥師佛」的法門。

正

報和依報。「依報」是眾生的業力相同，所以共同生長在同一種族和國家。「正報」看個人業力而決定，生長在各個不同的家庭環境，形成貧與富、美與醜、智與愚，種種差別的形態。

論——空口說空話就是戲論。比如有些人口才很好，談起話來頭頭是道，法也講得很好，但卻不能拿來應用，這就是戲論；把佛法當道理來研究而不去實行也是戲論，總而言之，說而不能行都叫做戲論法。

「生滅」就是無常，衆生因爲顚倒，所以常把「無常」誤爲常，把不樂認爲樂。而且往往因爲心性顚倒而造成了一些墮入地獄的惡業，自古以來，大多數人都有一份迷失自我的毛病。

精進——是在平常平凡的人生中，自我約束行爲、自我反省。把好的形態教育在自己的身上，表現在日常生活之中，就是在精進。

攝爲船師——攝就是接受，只要你有信念，肯去接受教法，這個法就像是一條船，可以送你到彼岸。「精進」即能離苦，離此岸的苦到彼岸的樂。有智慧就可登彼岸，所以說信心、精進、攝持、智慧，是脫離六欲的主要條件。

**信**能渡淵——意思是說只要你有信念，即使大河也可以渡過；相反的，沒有信心的話，即使近在咫尺，也無法到達。

拜山應該說是朝山，朝就是方向，把自我的心，自我的身，自我的行爲，朝著一個目標、方向前進，山表示德高，德高如山，我們的心要培養這份德，就必須像山一樣，所以朝山並不是向那座山拜，而是參悟我們崇高的心德；也就是自性的高山，古德云：「佛在靈山莫遠求，靈山只在汝心頭，人人有個靈山塔，好向靈山塔下修。」我們如能時時刻刻抱著朝山者的形態，把它用在日常生活中，這就是在修行。

第二十七篇——廣庇天下盡歡顏

〔戒殺與護生〕

利他——必須以方便爲父，慈悲爲母，在佛法中所需要的是眞如實性，如果僅守在那一層自性涅槃的境界中，是無法達到解脫自在的程度，因此就必須用方便法，就像成佛必須先行菩薩道一樣。

蕭瑟寒冷的冬天裏，需要梅花爭放，才會感覺世間的美麗。苦難的衆生，需要有愛心的人去愛護、幫助，這樣的人生才不會顯得太殘酷。

以至誠的熱心去溫暖人們心靈上的淒涼。

很多的貧困都是由「病」引起，如能及時預防、治療他們的疾病，使他們能自己站起來擔起家庭的責任，就能恢復一個家的元氣。

人與人之間要相互扶持照顧，這才是健康的群體社會。當我們有意無意、毀人形象時，無異於「逆風揚塵」，沒有不被自己扔撒出去的沙子反吹拂到自己臉上的。所以，毀謗他人絕對無濟於事，只是徒然毀壞自己的形象而已。

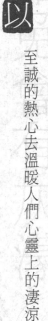

不殺生」即是仁，仁者愛也。萬法皆由愛心起，一切善行不離開愛，因爲有仁心愛念就不忍殺生害命，更進而能積極地救護一切衆生。

生而爲人，能感受哀苦，覺得傷痛，所以應推己及人，憐憫同情貧困、疾病、苦難的衆生，付出愛心救助他們：使飢餓的人飽食，讓受寒的人溫暖，給生病的人就醫。對周圍所見的人性與人道行爲，能彼此互相啓發鼓勵，這樣才是正確的護生。若盲目地捉放生靈，不僅顚倒是非，甚至會「害生」啊！

有病的人我們幫他醫療，有急難時我們趕快伸出援手，這些功德比放生還要廣大。

第二十八篇──人生苦短

〔這個關怎麼過〕

人命在呼吸間──人生的確是在過分秒關。人如能抱著過「秒關」的心理，就會愛惜生命、珍惜人生，能惜福的人就能行善，能行善的人必能時時快樂，這就是幸福的人生。

時光總是稍縱即逝，若不把握現在還年輕，等到年紀老邁時再想學習，往往就時不我與了。

人若是無所事事，只知想著痛啊！苦啊！那麼時間只是平白的過去，痛苦反而更加嚴重。

時間可以成就一切學業、事業與志業；功德道業也無不是用一分一秒的時間累積而成。有智慧的人，視時間如鑽石；愚癡的人，將時間當作泥沙。若能善用智慧，集中精神與心力，把時間當作鑽石般地珍惜，精勤不懈，則世間沒有不能完成之事；若把它當作泥沙一樣揮撒散落，昏沈懈怠，好逸惡勞，則一事無成，拖累社會。

人生幾十年，其實每天的行爲比幾十年的時間來得重要，每一天的行爲就是累積幾十年的資糧，而幾十年的希望，就是要照顧好每一天的行爲，否則人生就空過了。

淪於財富的漩渦中不能自拔，而忘了運用財富的權利，又喪失了人生互助互愛的神聖人格；如此一來，財富於人若不加以善用，倒反而被人群社會所遺棄，其寂寞孤獨感，恐眞比窮困的人還苦悶哪！

貧者因爲物質匱乏而苦，富者則因精神心靈空虛而苦。貧者患得，富者患失，貧者千方百計的欲求所得，所以極其煩惱，富者擔心失去已擁有的，自然無法輕安自在。

貧中之貧的人，缺乏資生之物，缺乏知能，且見識淺窄，不僅物資貧，知識更貧；更有旣貧且病者，這些人常是心態孤僻，感覺好像已被人遺棄，多數是自生自滅。

貧中之富——生活雖然很貧困，卻充滿了人情味、富有愛心，觸目所及的都是一張張親切可愛的臉孔，所聽到的也是充滿了人情味的聲音，生活得非常快樂也非常充實，這就是「貧中之富」的人。

第二十九篇—此心即道場

〔做人與做事〕

成功的好事，需要你、我、他來完成。煩惱時不要有你、我、他的成見。

理事情，感情要藏在理智中，人與人相處，則要把感情表現在理智上，這樣才會理圓、事圓、人也圓。

心即道場」，直心即是誠實心，正直無諂曲，此心乃是萬行之本。

在日常做人處事中，要秉持正直、誠實的心念，不能自欺

欺人，心懷不軌。必須時時刻刻誠正信實，並且終身抱著此心即道場的意念，如此才得入如來室，學如來行。

做人處事以身教爲重，先淨化自己的身、口、意，才能感化對方，也能夠眞正做到莊嚴自己、尊敬他人。

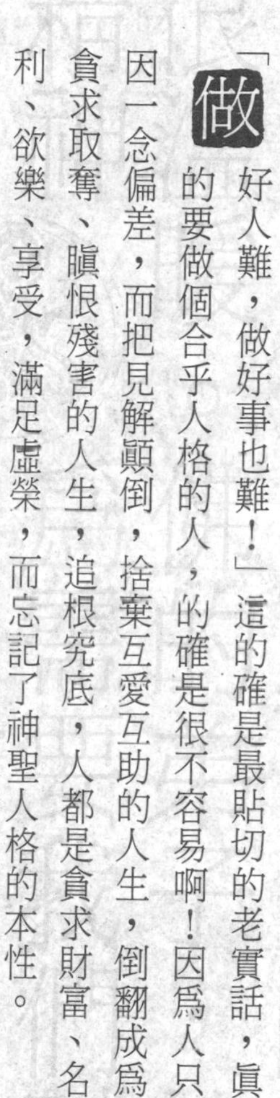
「做好人難，做好事也難！」這的確是最貼切的老實話，眞的要做個合乎人格的人，的確是很不容易啊！因爲人只因一念偏差，而把見解顚倒，捨棄互愛互助的人生，倒翻成爲貪求取奪、瞋恨殘害的人生，追根究底，人都是貪求財富、名利、欲樂、享受，滿足虛榮，而忘記了神聖人格的本性。

【下卷】

答人問

弟子輯錄

第一篇—即境答問
〔人事篇〕

說「情愛」

有位從事文化教育工作的會員，在夫婿往生後，哀思難抑，往謁師父。

師言：「莫以世壽年歲來算計人生長短。你先生這輩子在工作上的成就，遠超過他的年歲，他這一生對家庭、對事業的貢獻，已竭所能。你若掛念他，應持續他那一份使命感，進而超越他的成就——展現你的才華，把精力、心血全部投注於培育下一代，去淨化社會、延續我們固有的道德文化。

切莫把生命局限在一個小家庭裏，更不要因失卻伴侶的依恃就頹廢不振，要擡頭挺胸、站穩脚步，敞開胸襟，擴大你關懷的對象與事物，好好地發揮生命功能。」

會員：「我會慢慢……」

師言：「不要『慢慢』，要『馬上就做』。人生無常，要把握當下即刻。有人曾問：『師父有未來的計畫嗎？』不錯，我是有未來的計劃，我是有個目標，但是我的人生卻只掌握在此秒此刻。未來的成就完全是在掌握分秒中造就出來的，『未來』是『現在』的累積，你要好自爲之。」

會員：「將近三個月的時間了，我一直無法克服心理障礙。上班時也都只待在自己的辦公室，不能面對他人，也無法參與一切會議。直到夢見他說回不來了，才明白師父所說的：要了

斷相思念。」

師言：「他已走上眞正解脫之路，莫再牽絆。你若不能捨情，是你自己的問題，與他毫無關係。人生猶如舞台，幕啓幕落，每個人在這齣戲都扮演不同的角色；而各個角色的戲分不盡相同，戲分已盡的自然先行下台，尚留在台上的，則必須繼續努力地演好自己的角色。你一向很成功地扮演各種角色，如賢妻良母、孝媳，家庭事業皆可兼顧。此後，你要開始扮演另一個角色——菩薩、善知識，去當一位能知善解的良師益友——把你的學問知識喜捨給學生及更多的人。

文化教育是一項大喜大捨的工作，眞正的教育家，在於教導人類如何獲得精神上的愉悅。人生存在世間，除了金錢物質的追求，更須有豐富的精神生活配合，才會感到充足與踏實。推展文化，正是要淨化心靈，使得大家明白生命的意義所在，進而知福惜福，時時身心安寧、歡愉自在，此所謂文化的大喜工作。

而教育是百年樹人的工作，爲了培育英才，爲人師者，要能捨出時間與智慧，對學生毫無保留的傾囊相授、不存私，就是大捨。佛心是大慈悲心，菩薩心是大喜捨心；菩薩所緣，緣苦衆生，你要發揮生命功能，時時歡喜助人。

心經有云：『心無罣礙，無罣礙故，無有恐怖，遠離顛倒夢想……』，心中不要再有任何罣礙，人生如戲，而菩薩遊戲人間，希望你在這新啓的一幕戲裏，歡喜的去扮演另一個更成功的角色。」

會員：「我在先生往生後，才發覺我在國外的這幾年，我先生竟然與我最要好的朋友談戀愛。現在，雖然先生也已經死了，但是，我心裏還是很氣，不能平衡……」

師言：「你不應該氣死人！」

會員：「我不是氣死人，我是氣活人！」

師言：「你爲什麼要回頭看過去？爲什麼不好好認眞看你今天要走的路？人生就像走在鋼索上的人，如果不認眞看好前面的路，一直往後看的話，一定會跌下去。人還在時就要原諒他、愛他所愛的人，何況人已死了，若還在感情上計較來計較去，到頭來你又得到了什麼？」

多數人訴苦，往往離不開家庭問題……問情何在？

師言：「每個人在結婚前總是山盟海誓、海枯石爛、永不變心，又曾幾何時，說變就變……因此爲情犧牲的人實在太傻了，人生在世難道就只爲了情而活嗎？如爲了感情而犧牲，那就等於抹煞了父母給我們的身體、生命，這是罪大惡極的事；身體髮膚受之父母，不可毀傷，這是大家都知道的道理。」

會員：「師父！我的先生都不照顧家庭，一直由我來挑責任，我要照顧十七個人，我忍得都頭痛了。」

師言：「他的家庭就是你的家庭，先生會將責任推給你，是因爲你有這份能力的關係，如果忍了還會頭痛就表示你還不夠忍。

你有十七個人要照顧，而我的雙肩一邊挑的是千萬愛心人

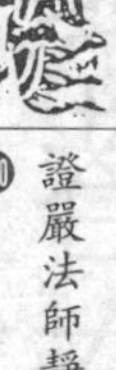

士，我要時時刻刻爲他們祝福，希望他們能家家平安；我要時時刻刻拿出教富的精神，使他們常常有這把種子，可以播種，製造因緣，使他們能得到福報，凡是關心慈濟的人我都必須負起這個責任。而我另一個肩頭挑的是濟貧救急的擔子，仰賴我們幫助的，我們每個月要供給他們生活，除了長期的幫助之外，意外的急難救助，也須時時刻刻準備救援，這麼多人與事，難道我就沒煩惱嗎？但是我認爲爲了衆生，任勞任怨也是值得的。」

有位會員，先生對他百依百順，是幸福中的幸福人。但她仍覺得很苦，她說：「師父啊！他對我感情不專欺騙我，使我痛苦、不如意，我要如何解決呢？」

師言：「不要太強求，妳知道感情如同一個球，愈硬碰，它跳得愈高愈遠。放寬一點，妳愛的範圍太窄，把感情當一條繩子，縛綁得使他對妳產生敬而遠之的心理，妳才那麼痛苦。應該以柔和的感情來寬容他的一切，不要以佔有欲、威力來加諸在感情上面，否則先生表面又順又愛，但內心又懼又畏，如此難怪他會有欺騙的行為。若能把愛擴大到去愛他所愛的人，他一定會感謝妳，同時也更珍惜這份感情中的恩情，因為妳給予他愛的自在……人的感情就像洪爐，只要妳多給他寬大的愛，滿足他的感情，再冷再硬的心也會被熔化……」

有一位會員，她的先生在外面受到挫折，回家總是向她發脾氣，她為此苦惱，師父告訴她：「先生心理上的問題，唯有

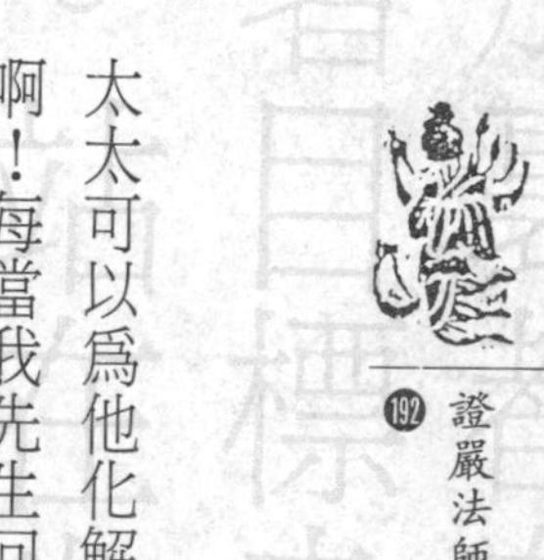

太太可以爲他化解，要多付出愛心，多鼓勵他。」她說：「有啊！每當我先生回家，向我訴說委曲，我就會告訴他：這個世間本來就是如此，我們多吃虧也就算了。」

師父再告訴她：「妳錯了！應該要安慰他說：我知道，你眞的好委屈，爲了這個家，爲了妻子兒女的幸福，你付出太多了，眞是辛苦你了。」

有會員常爲女兒的婚姻而煩惱，怎麼辦？

師言：「父母能夠生育兒女的身體，絕對無法生兒女的福業和惡業。各人有各人的業報因緣。學了菩薩道，何不發大願，立大愛，盡自己有生之年，走好菩薩道，愛普天下的衆生。爲人父母要有個共同的觀念，那就是對子女只有責任沒有權利。」

會員：「兒女都已成年了，我還是放心不下，好苦惱！」

師言：「能放下當且放下，親情重一分，煩惱即長一分，子孫自有子孫福，因緣稍縱即逝，何況人生無常，應當及時把握因緣，多為自己儲存道糧。」

會員：「明知學佛不可有瞋恨心，但先生有外遇，內心很難過就控制不了；家人又反對持咒誦經將功德迴向他人。」

師言：「愛難悟，衆生情難移，要愛他所愛的人，將凡夫心轉化為菩薩心，發揮菩薩覺悟的愛心吧！

信仰先不要有形象化，唸地藏經不如先了解地藏菩薩的大悲願。先生和婆婆也是衆生的心態，妳要發『菩薩悲願』度衆

生。要念大悲咒水給人喝，試想，自己的煩惱已重重，有多少德能為他人消災解厄？若是具足了『德』和『定力』，只要起一個心念『祝福他』，『業』就消了。」

會員：「為兒子發心，可轉業嗎？」

師言：「做好事是人的本分事，發好願，當然會增福緣，但是，該來的總是要接受，生命長短，好緣或壞緣，可以將它作為人生的警惕，因緣果報抹煞不了。任何事若是『要不得』卻強『要』，反而『得不到』。

家庭主婦該如何做，才能稱為佛教徒？

師言：「人身難得今已得，既然來到人間，就不能脫離做人的法則。身為家庭主婦，就應先盡主婦的本分，才有資格成為佛教徒。因為家庭主婦對家庭、社會的貢獻很大，必須扮演多重的角色：第一做位好媳婦，侍奉公婆以盡孝道。到寺院拜佛，不如禮敬堂上活佛。第二做位好妻子，照顧好先生，減少社會色情問題，讓先生在寧靜的心態下，除了事業還能追求志業。第三做位好媽媽，現在的青少年知識水準提高，做媽媽的須不斷追求新知識，用好聲色來輔導子女，使他們身心健康。能盡到這些本分事，即堪稱佛教家庭婦女。」

弟子：「家家有本難念的經。」

師言：「既然知道家家『有』，看開了什麼都『沒有』。」

會員：「兒子三十六歲尚未結婚，替他憂心如焚。」

師言：「不要強求，好緣成熟自會來，若強求得惡緣，婚後再煩惱已來不及了。」

會員：「兒子沈迷於打電動玩具，屢勸不聽，內心很煩惱。」

師言：「二十八歲的年輕人，要怎麼管呢？只要他玩厭了，就不會再想玩，現在社會流行一句話『流行過了，就沒興趣了』。不要常對孩子嘮叨，偶爾重點式的提醒一下就好。」

來訪者言：「聽了師父開示的錄音帶，覺得要改革教育陋習，應該從家庭開始，但不知如何做起。」

師言：「不要刻意組織活動，只要從家長教育起，讓家長的愛心擴大範圍，不要只局限於自己的子女；好像吹氣球，吹氣球吹得太脹就會爆破。應該用媽媽心來愛天下的衆生，用菩薩的智慧教育子女。」

會員：「家境富裕，生一獨子，卻百般忤逆。」

師言：「過去生結的業緣，業來時由不得自己，除精神感化和心理轉化，也要多爲子女祝福。萬般帶不去，唯有業隨身，社會上有許多例子告訴我們，財富不僅沒有帶給子女幸福，有時還帶給子女煩惱與惡業。財富可種善因，也可成惡果。用智慧使用財富，才能使財富發揮應有的功能。」

會員：「女兒的結婚對象，論學歷、名氣，都比女兒差。」

師言：「名氣幾兩重，『賢』不在於學問和學識；『德』才是最重要。年輕人兩情相悅而結婚，不要以名氣、文憑當對象。」

會員：「明知對方存心欺騙，卻甘心被騙；相見時恨得咬牙切齒，不見時又想得心痛且很想死。」

師言：「不要爲一個人，生啊！死啊！痛苦難當，想死是很簡單的事，但死要死得有價值，一個人可以付出很多的功能，利益人群，何不好好利用功能呢？年復一年要好好把握人生，被一個人辜負不可惜，可惜的是你辜負了人生的功能。」

聯考期間，許多父母的心聲是：很擔心孩子考不上。

師言：「母子連心，作父母的爲兒女考試緊張，如果形於外的話，就會影響子女的情緒。何不將緊張心情轉化爲念佛的心，得失心不要太重，『得』在前，『失』必在後，何況『行行出狀元』。

會員：「先生氣極時，指責兒子將來絕對沒有出息，要有出息，除非是天地變。」

師言：「這是一句祝福語，因爲天地時刻在變動，乍暖還寒，忽陰忽晴，明晦更迭，日月推遷，所以你的孩子，將來一定很有出息。凡事要善解，善解則能增無量福慧。」

會員：「職業婦女應如何兼顧家庭與事業？」

師言：「女人有一股很寶貴的功能，也是女人最美好的一

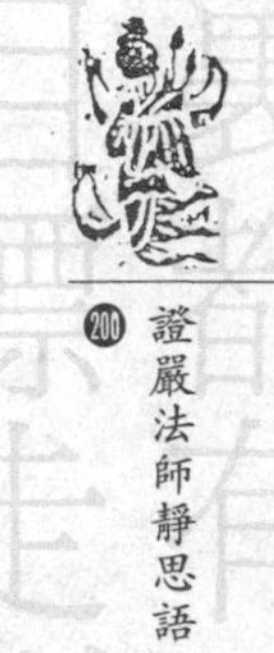

面，那就是母性的光輝，社會日新月異，作好一個職業婦女固然能增加知識，但是，不可埋沒了母性的光輝！」

一對傷心且心懷怨忿與感傷的父母來見師父，描述其子因在外與人發生爭執而不幸遇害的遭遇。

師父安慰他們說：「冤可解，不可結。如果你們眞的想爲孩子植福，就該原諒對方，把報復的怒心，轉爲寬恕，多爲孩子念佛，替他造福；他的業力即得解脫。不要太傷心了，其實生是死的起點，死是生的開頭，如果因爲孩子的死，讓你們覺悟了生命的意義，而把愛心用於更多需要照顧的孩子身上，那他便能因此得福了。」

會員：「太太爲了兒子頂撞一句話，氣得心臟病發作。」

師言：「教導孩子要有方法。孩子乖時要多讚揚鼓勵，不聽話時以啓發或開導的方式輕輕說他幾句，應機施教。社會變遷，教育子女的觀念與方式，也要跟著子女知識的成長而成長。」

會員：「隨著社會的變遷，人際關係複雜化，婚姻問題層出不窮，當事者該如何面對令人「柔腸寸斷」、「痛不欲生」的「外遇」問題？」

師言：「不要說是『外遇』，要說是『另外的緣』，這也是妳的業，要勇敢的接受。妳要愛他、感謝他，是他使妳看清世間的無常，妳才有機會反省自己、調整自己，不要把它想成是一種傷害。自殺是毀了父、母所賜的身體，是大不孝，沒有這個

身體，怎能隨緣消業呢？

好的緣要彼此感恩，壞的緣要看開！再說，『忍』字是心上插一把刀而不叫痛、不流血，這才是眞功夫，如果還感到痛苦，表示忍得還不夠！」

說「婆媳」

有一位媳婦，每當婆婆罵她時，她就大聲頂嘴，當她到花蓮時，師父對他言：「是妳不對，婆婆罵妳，妳不該頂嘴，古人說天下無不是的父母，妳應該要靜聽婆婆的教誨。」她回去之後，每當婆婆罵她時，都默不作聲，有一次師父到吉林路時，她說：「師父您要我靜靜的讓婆婆罵，我都照做了，現在婆婆卻說我都不理她，您看我該怎麼做呢？」師父問她：「婆婆罵妳時，妳的態度如何呢？」他說：「我就默不作聲，反正不理她就是了。」

師父告訴她：「妳錯了！當她罵妳時，妳不要尖來尖去，她硬的來，妳就軟的受，好像一個球，妳往地上一丟，它會反彈起來，但是往棉被上丟就彈不起來了，當她罵妳時，妳就對她微笑，告訴她：『媽媽！我了解、我會改。』如果她繼續罵下去，妳就笑著讓她罵兩句就沒事了。」

不久，她再見到師父時，她說：「師父，有效、有效，婆婆現在都不罵我了。她還鼓勵我有時間要多聽經，今天我吃完飯碗筷都來不及收拾，婆婆就說碗筷由她洗就好了。我現在挨

她罵就微笑以對，婆婆看見我笑，她就愈罵愈覺得可笑，自己都忍不住笑了出來。」

會員：「婆婆往生時，人在國外，未按照中國民俗喪禮，穿數層衣服入殮，內心不安，覺得未盡為人子媳之孝，兄弟妯娌為此事常爭吵不休。」

師言：「事情過去了，就不要記掛在心裏，兄弟妯娌也不要為此事鬩牆，假使婆婆地下有知，靈也不安，只要她靈安，你們的心就安。」

老太太：「師父！我不把手頭交給媳婦，她好怨我，我也是為他們好。」

師言：「既然是為了他們，為什麼不做好人呢？趁現在你的身體還很健康，把權交給媳婦，讓她自由發揮，妳不但可以減輕責任，她也會感激妳，現在妳守著這些錢，使她怨妳，將來有一天妳若是病了，或一口氣不來的時候，錢不會聽妳使喚，妳對錢也是無可奈何，倒不如現在歡歡喜喜的將權送給媳婦，她在感激之餘自然會聽你的話。」

第二個月，與師父再見面，這位老太太說：「多謝師父！我現在才是眞正的人生，一來我不必擔負責任，二來媳婦每個月都給我兩萬元，要做善事也夠了，以前我連兩萬元都沒有，因爲我不敢超出預算。」

說「病痛」

肝癌末期的病人皈依師父。

師言：「人的命有兩種，一種是有生滅的命，污穢骯髒的生命；另外一種是清淨長久永生不滅的慧命，我們要捨去這份不淨、無常、骯髒的生命，既然壞了的東西，不要勉強去修補它，修修補補的屋子，還是不太好住，不如重新蓋一間更為理想、更為好住的安全處所。我們應該好好追求接觸佛法的機會，多多將有限的生命種下一份愛的菩提苗，現在趕緊磨鍊一份菩薩心，帶著這份愛的精神去尋求一個新的理想的地方。要有信心，捨棄這個短苦的身命，我們還有一個恆久長遠、走不完的菩薩道慧命。

身體上的病並不可怕，可怕的是你的精神先病了，應該提起精神與勇氣，將眉頭舒展開來，人生有多久呢？應該快快樂樂、歡歡喜喜地過人生才對，病並不可怕，我們要病得快樂，病得自在。

你想皈依可以，不過要聽師父的話，必須放開生死煩惱，有的人一聽到自己的病情就神經質的亂投醫，結果愈醫愈退步，當他完全放棄，反而出現奇蹟。人生不要給自己心理壓迫，凡事都順其自然而隨緣。」

會員：「我學佛多年，佛理也懂不少，但是本身面對病魔時卻仍然惶恐，無法自在，怎麼辦？以何方法能求得佛的感應？」

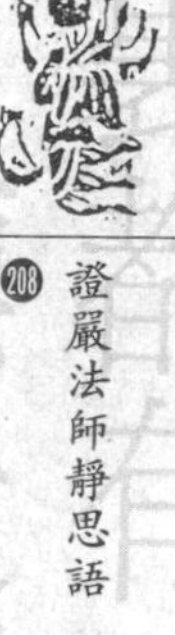

師言：「佛教徒的修養並不是全要依靠佛的感應，最主要是在培養勇氣，佛言『定業不可轉』，要以一份坦然的胸懷及因果觀，勇於接受隨身顯現的業報，這才是學佛的眞諦和目標。」

有一老居士因糖尿病影響視線，雖然眼睛昏花，還是每日拜佛、念佛不間斷，他感慨的對師父說：「人生到頭來都是一場空！」

師言：「不會呀！你得到了佛法、智慧，有這份覺性也不虛此行了！」

老居士身體欠佳，自覺來日無多，一心只想儘快往生極樂世界，換個「乾淨身」，再來度衆生，又怕來生失卻菩提道心、迷了路，因而苦惱不已。

師言：「一切隨緣，現在能早日康復，就能面對現在的衆生。現在的衆生需要我們，不管三人、五人都是將來菩薩道上的伴侶，今生此世都度不了，還談什麼來世？學佛不可以捨離衆生，世間緣還在，就要多多利用，以便俱足衆生緣。不要一直把自己當成病人，要放鬆精神，以健康的心態，積極生活，分秒必爭，求生的意志很重要呀！」

會員：「師父！您的法體需要多保重呀！」

師言：「人生沒有十全十美，人都有病！有心病、有身病，病障不可怕，因爲它是個人的業障，我雖然經常身病不斷，卻病得心安，如果事障現前，則會使我煩惱叢生，所以，我寧願

以病障來抵替事障，以求慈濟志業早日成。娑婆世界是個堪忍的世界，衆生棲身娑婆世界就要有堪忍的精神呀！再說色身只是假相，希望你們好好照顧我的慧命！」

有位學醫的學生，因親人往生，心情很哀傷。

師父安慰他：「學醫的人，將來要面對許多病人，因此對生死要有認識，『死』在佛教來說是『往生』，亦即是繼續往新的生命，生死是循環的，所以死亡並不可悲，我們要爲往生的人祝福，爲他念佛。」

學生又問：「我現在能爲往生者做些什麼？」

師父再言：「你現在要用功唸書，把醫術學好，將來能以此身體發揮救人的功能，我們的身體是父母所遺留的血肉，若好好地發揮功能，便是最好的報恩方式。」

一位老先生被胃癌折騰，痛苦難當。

師言：「十分病，有三分是身病，其餘七分是心病。病人的心情要常常保持開朗；痛時，呻吟一聲和唸句佛，都同樣是出聲；苦時，皺眉和微笑，都是一個動作表情；快樂的聲音和表情，會讓家人得到寬慰，自己也才能安詳自在。」

會員：「我患心絞痛多年，最近感到世緣將盡，生存的意志愈來愈薄弱了！」

師言：「你應該盡量恢復正常的作息，該檢查的檢查、該

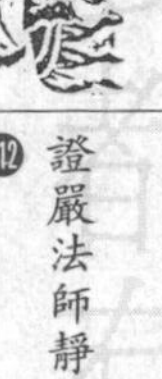

就醫的就醫，絕不能失去生活的鬥志，要把身體交給醫生，把心靈交給菩薩……」

訪客：「請問師父對生命的看法？」

師言：「人的生命本來微不足道，但是有一樣東西可以重於泰山，那就是——慧命，它可以不斷延續，讓後世的人循著這個脚步不斷前進。」

說「心境」

客問：「看完《靜思語》，覺得師父有一套完整的哲學體系。亞洲週刊形容您是一位『攀山的人』，請教師父這數十年來，在攀山過程中的心理變化和轉折？」

師言：「每個人都有他自己的人生目標，在確立目標之前，應有一番冷靜的考慮和抉擇，目標確立之後，即一心向前邁進，我常常拿走路來譬喻：從精舍到醫院，可以從大馬路走，也可以從鄉間小徑走，殊途同歸，都能抵達；而我卻常常選擇後者，原因無它──我喜歡這條路的風光──它純樸、它寧靜！

數十年來，在修行、處事面臨挫折的困境時，我總是把它們當成通往目的地的沿路風光，以欣賞風光的泰然心境來處理困境。

攀山，目標應放在山頂，所以就不該為沿路風光的美醜動心、停頓。」

客問：「如果有人喜歡做濟貧的慈善工作，又喜歡觀看沿路的美麗風光，您以爲會衝突嗎？」

師言：「只要心安理得就不會衝突，端看個人心態。」

客問：「請問師父，您出家前所經歷的事、物，是否對您在後來的思想上具有影響性的幫助和啓發？」

師言：「我沒有多餘的時間去回顧過往，也無暇憧憬未來，只是很盡心的掌握現在，謹慎的處理此時此刻。」

客問：「慈濟是千秋百世的志業，該如何維繫它歷久不衰？」

師言：「佛法講因緣，只要是種好因、結好緣，必能得好果。慈濟是個好因，此時此刻就是好緣。我之所以強調把握此時此刻，是因爲過去種下的因呈現於當下這一刻，而未來的成就也是端看此刻的努力。因此，不要空想未來，要有計畫地把精力投注於此刻。比如慈濟醫院和紀念堂等建築，也是在一刻刻不停的累積下，完成了它的進度工程。」

來訪者問：「爲何衆生會這麼苦？」

師言：「心迷就苦，心悟就自在。佛陀說：『人人平等，本具佛性。』肯精進，定會成佛，成佛必定要行菩薩道，上求佛道，下化衆生，苦樂自在即無所謂苦。」

會員：「如何治心？」

師言：「衆生的心好像蒙塵的明鏡，佛法可去塵埃，需時時勤拂拭。」

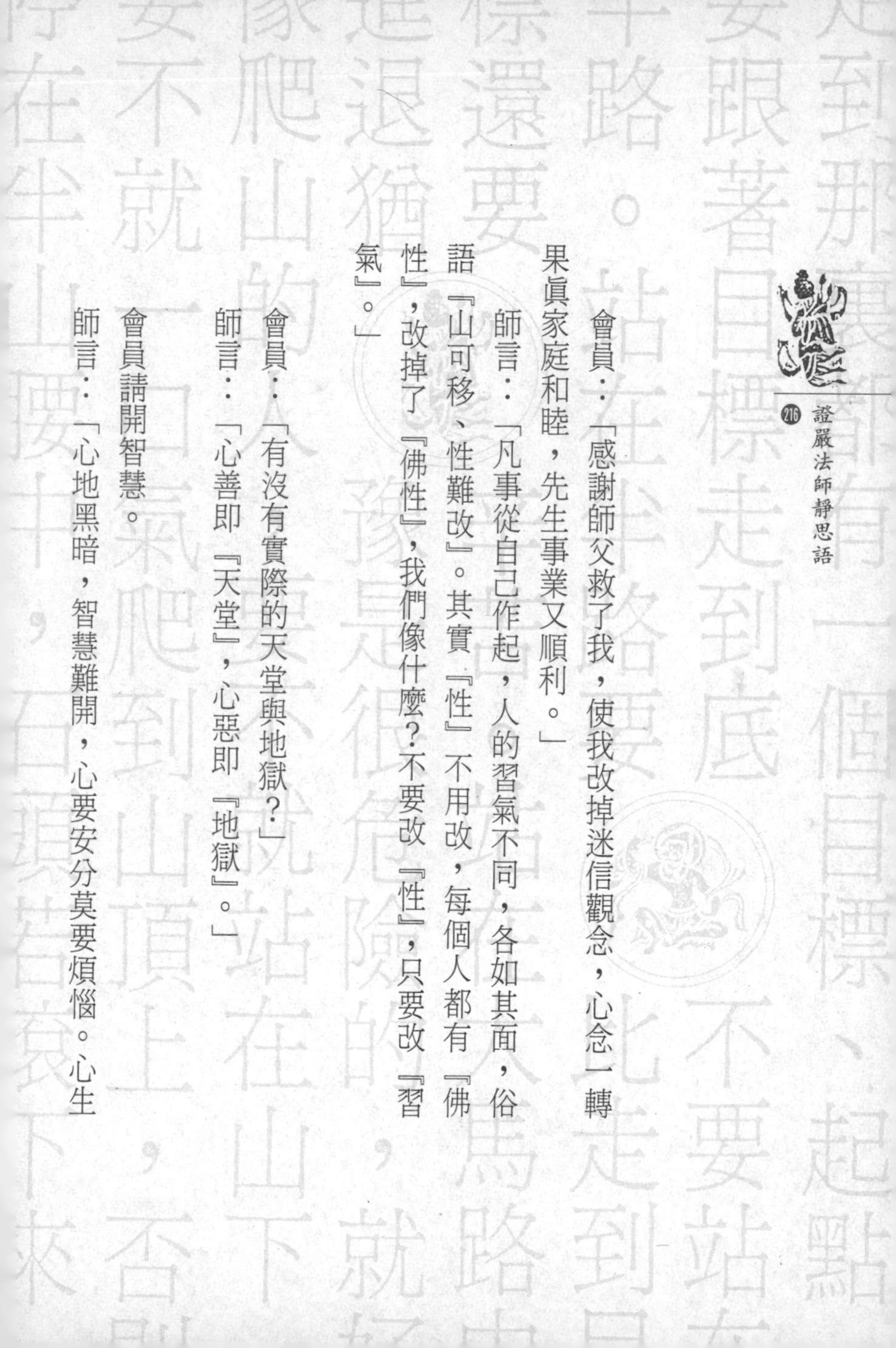

會員：「感謝師父救了我，使我改掉迷信觀念，心念一轉果眞家庭和睦，先生事業又順利。」

師言：「凡事從自己作起，人的習氣不同，各如其面，俗語『山可移、性難改』。其實『性』不用改，每個人都有『佛性』，改掉了『佛性』，我們像什麼？不要改『性』，只要改『習氣』。」

會員：「有沒有實際的天堂與地獄？」

師言：「心善即『天堂』，心惡即『地獄』。」

會員請開智慧。

師言：「心地黑暗，智慧難開，心要安分莫要煩惱。心生煩惱時無明即起。無明會遮掩心地的光明，心地如若黑暗，即如雲掩月，智慧就不能顯現。拂掉了無明黑暗，即智慧無礙。」

會員：「人如何破『我執』？」

師言：「『無我』有兩種境界：(一)將自己縮小到零點，無孔不入，穿入人人的瞳孔，再嵌入對方的心版最微細處。(二)將『我』擴大至與虛空普遍處，是謂：『心包太虛、量周沙界』，則何事不包，何物不容：道理說來很簡單，實行起來可不容易，所以老話一句：時時刻刻要『藉事練心』。」

會員：「師父，我全身都是病，醫生卻說我沒有病，我明

明病得沒辦法工作，可是每個醫生都說我沒病……」

師言：「你有病哦！而且你的病很重呢，重得連醫生都沒辦法治療！」

會員：「眞的那麼嚴重嗎？」

師言：「是呀！你的心有病，心有病醫生沒辦法治療，唯有你自己才可以治療你自己，但是，心病久了，也會變成身病哦！那時，就沒有醫藥可治了！」

居士喜談風水地理怎麼說？

師言：「佛教談心理，不談地理。」

什麼樣的東西最美呢？什麼樣的東西最毒呢？

師言：「最美的是善良心，最毒的是色欲心啊！」

某會員在一次聚會中與師父面對面，顯得很不自在，即隨手拿起身邊一本書遮住臉孔，那本書的封面正好是一尊佛相。

師言：「希望你遮住了凡夫面，露出佛祖面！」

客問：「我很容易分心，在做事的同時，會操心下一刻的事務該如何處理。請問師父：要怎樣才能用心？」

師言：「知道利用時間、能夠把握當下、此刻，就是用心。做事要專注，心懷要如海天般寬廣。好比大鵬鳥，專注地蓄勢待發，一陣風來，即全力衝飛，氣勢磅礡。用心是自然而然，並非刻意造作的。」

再問：「既然用心是可以無罣礙、不執著，但用心又必須全力去專注，此兩者是否有所矛盾？」

師言：「專注地用心時，根本無心可用。心只是一個名相而已，衆生大都被名相所縛。走路、吃飯時，你刻意用心了嗎？它是那麼自由自在地走得好、吃得順。所以說，用心而『不用心』。」

客答：「很有道理，然而知易行難。」

師言：「大而化之怎會難？是你覺得它難才會難。」

爲何目前的社會這麼亂？時常使人心裏惶惶，一有風吹草動即惶恐不安？

師言：「是因爲人缺少良知與正見的關係，人的觀念不正，就不能正業，觀念如果偏差，所做的事也都錯誤了。」

會員：「師父，您對台灣的信心如何？」

師言：「對任何事一定要非常虔誠、有信心。雖然有某部分的不完美，但是如果我們再放棄它，則這份不完美會更加擴大。也不要只為了一個小家庭，反而忽視了大家庭。」

說「人生」

會員問人生觀。

師言：「正確的人生觀，說話要負責任，注意現在規畫的一切，不要為明天以後的事，迷失了人生的目標，只要為未來計畫，注意為『現在』負責。」

有人說：「師父，你的事情太繁多、太忙碌了，記憶力才會消退。」

師言：「很多人無所事事過一生，歲月同樣會消磨他的體力，消退他的記憶力。人生並不是因爲做事情才消退功能，而是由歲月來消退我們的功能，所以我們應該好好把握時間。」

什麼是圓滿的人生呢？

師言：「就是對上有禮、對下有愛，我們對人如果無怨無恨，相信別人對我們也一定會敬愛，能夠人我互相敬愛，就是圓滿的人生了。」

會員：「要怎樣才能自救救人？」

師言：「改變自己就是自救，影響別人就是救人。」

說「忍辱」

會員：「師父，我很想做一個聽話的好弟子，可是，我發現越是忍讓，對方越是得寸進尺的給我壓力，我的瞋恨心，隨時都有爆發的可能，怎麼辦？」

師言：「要把對方看成佛菩薩，那些逆境是對你的考驗，你要學佛，怎麼能對佛菩薩生氣呢？」

會員：「圓融該如何作？」

師言：「圓即圓滿。就是要用圓的方法，不要用尖的方法，用尖的會傷害人，勸人可以，但不要讓對方恨你，對惡人要包容他，也要防範他。」

請師父開示：「忍」的重要性。

師言：「『六度』首重忍。人與事之所以有重重疊疊的困難，都因不能忍。『忍』非但爲六度之首，且爲六度之重：比如布施、持戒、精進、禪定、智慧也都需要忍才能成就。爲造福衆生不能不忍耐。衆生有不同的習氣，等待因緣成熟時，再像去浮油層一樣，輕輕地瓢起衆生無明塵垢習氣。菩薩六度萬行，若能有忍，即得人圓、事圓、理圓，所謂六度功德不彰自顯。」

會員：「師父，什麼樣的人你不能原諒？」

師言：「每一個人都值得我原諒，什麼樣的人都可以原諒，唯有不誠實的人是我比較不肯原諒的。做錯事是人所不能避免的，但是一而再、再而三說錯話，就不可原諒了。所謂的錯話，就是妄言、綺語、兩舌。」

說「慈悲」

八十歲的老者說：「我的孫子說我愈來愈年輕，真的嗎？」

師言：「因爲你心裏有愛，心美就能淨化人生，孕育了人與人之間的快樂，美化了彼此的身心。」

會員常祈求三寶加被，世界人民吉祥。

師言：「不只用求，是要人人力行善事，遵守人倫規則，敬老愛幼，天下就會吉祥。若不行諸善，天下如何吉祥？」

會員：「師父！爲什麼我們這些弟子一見到您就起歡喜心，而我兒子雖然是我懷胎十月所生，卻常常跟我頂嘴、反抗？」

師言：「因爲我與你們的緣是累生累世結來的，而你的孩子與你結的緣只有這一世。」

會員：「既然我們與您多世結緣，爲什麼這一世還會落入滾滾紅塵中？」

師言：「那是因爲你們凡心太重，所以迷失了！」

居士：「『慈悲』和『博愛』有何不同？」

師言：「『慈悲』的含義較寬廣，『慈遍無緣，悲至同體』，於寸動含靈，無微不至，而『博愛』者只限人類，舉此可知。」

年輕人喜歡開快車。

師言：「開快車不是行家，開慢車才是紳士，亦是禮讓，代表有修養，何況爲了要保護心中那尊完美的菩薩，更要開慢車。」

常有人訴苦，如何才能解開煩惱痛苦？

師言：「要解開煩惱痛苦，就必須對佛教教理多追求了解，看開物慾……拓寬人生的感情，把愛擴展分散給芸芸衆生，擴展個人狹窄的私愛，普愛天下的衆生。」

學生：「躺在牀上看師父的書是不是不禮貌？」

師言：「禮貌不禮貌不在形態上，眞正的禮貌是聽了之後，能應用在日常生活中，不要把它當成廢話，聽過了就算了；要常常用心體會，該作的認眞去作，這才是眞正的敬重。」

會員：「要怎樣才算是眞正的有愛心？」

師言：「愛心的先決條件是要有智慧——沒有色彩、沒有慾念、淸淸淨淨，眞正的愛是『無緣大慈，同體大悲』；人傷我痛，人苦我悲』。」

說「事理」

會員：「爲什麼慈濟人口口聲聲談慈濟、讚歎慈濟！是否自讚……」

師言：「在佛教裏，每一尊佛都有佛國土，譬如阿彌陀佛發願度衆生，只要持念他的聖號，若一日、若二日……心不顚倒，臨命終時，必蒙佛來接引，往生阿彌陀佛極樂國土；藥師佛發十二大願度衆生，也是如此。慈濟世界是個很美的世界，

確實值得『自讚』，但是並不『毀他』！」

（註：在慈濟世界裏，人人心存善念，口說善言，身行善事，在善的循環中，締造眞善美人間淨土，有何不好？）

會員：「我想在假日的時候帶自己的小孩去看貧戶，不知是否適當？」

師言：「很好啊！就以郊遊的心情帶孩子去，也可以告訴他們慈濟做什麼工作，這是很好的機會教育。很多人在查訪貧戶之後，才發現自己原來是這麼富足，因而生起感恩心，也才會更珍惜自己所擁有的一切，所以讓小孩多了解也是很好。但是有一點要特別注意，就是要叮嚀你的孩子，到貧戶家時，應以親切的態度對待貧苦的人，不可以有怕髒或厭嫌的臉色；而大人也不要將孩子當寶貝。」

聯歡晚會，台北會員跳山地舞，舞出慈濟人的歡樂氣氛。

會員：「師父，您說我們跳得很像山地人，是不是說我們也像山地人一樣『番番』？」

師言：「其實『番』，是代表純樸，如果被人批評爲『精明』，那就表示你這個人很狡猾，應要愼思。」

訪客：「慈濟的人好像都很有錢？」

師言：「不只是有錢，而且是富有——富有愛心、富有智慧、富有感情！」

會員：「師父！我很想多參與慈濟的工作，但是，又怕樹大招風……」

師言：「樹大有樹蔭可供別人乘涼，並且根深柢固，不容易被風吹倒，樹的周圍也不容易長雜草。如果怕樹大招風而捨大樹植小樹，那麼永遠只是小樹苗，有什麼用，要避免樹大招風，就須在平時多修剪枝葉——也就是多修養自己。」

會員：「師父！我們慈濟越來越有名氣了，很多人都知道慈濟……」

師言：「是呀！越是有名氣，越是不能『漏氣』！」

（註：創業惟艱，守成更難，慈濟志業有賴大家持續護持。）

會員：「師父！慈濟志業那麼大，您走了之後怎麼辦？」

師默然不語。隨後無限感慨的對隨身弟子說：「唉！爲什麼不好好珍惜，把握此刻自己該作的事，老是擔心什麼時候死呢？」

（註：人生無常，二十年前就有人對師父的健康表示擔心，二十年來，比師父年輕、健康的弟子，多少人在慈濟道上來了又去；有的凋零，有的隱沒；只有師父仍然孜孜不倦的推動慈濟的志業，這期間不知挽救了多少迷茫的衆生，開啓了多少人的智慧；二十年後，說不定我們這些弟子作古了，而師父仍然精神昂揚地奔波在慈濟道上，教化衆生，世間事哪有什麼定數？佛陀的精神，二千多年來不就是這樣傳下來的嗎？）

會員：「醫院蓋在花蓮，那麼遠，我們贊助它，又用不到它，不是很可惜嗎？」

師言：「八大福田中，看病功德第一，慈濟醫院的籌備是因爲東部醫療設備缺乏，才需要我們用心、費神的去完成。佛教徒應有『心包太虛，量周沙界』的寬大胸懷；何況，發心捐建醫院是爲了除去衆生的病苦，是種下健康的福因，能不用到它，不是更好嗎？」

會員的先生：「感謝師父幫我調教太太，我太太自從加入『慈濟』行列後，變得很溫順、很勤快，也很體貼……」

師言：「其實不是我在調教他們，而是委員本身在投入『慈濟』工作時，從工作中看到芸芸衆生病、死的一面，眞正去體會無常的人生，無形中，會時時警惕自己，修正自己偏差的行爲，尤其在團體生活中，隨時可以找到各種學習的對象和機會，而作自我教育。事實上，我更要感謝委員先生對太太工作的支持，讓我減輕不少的擔子！」

客問：「您的原則是所有的捐輸善款全部用在慈濟工作上，精舍生活所需一律自理，請問這是剛出家時就有的決定嗎？原因何在？」

師言：「未出家前，我一向奉持自食其力的生活方式；決定出家時，我仍然抱持這一份理念而延續至今，其實，那只是我的初衷而已。自力更生是我個人人生中追求的一個目標，『付出』是我另一個人生目標。慈濟，是匯集衆人的『付出』；因此，

在成立功德會後，我就公私分明，十分清楚地處理各項捐款。慈濟能有今日的建設，完全是誠、信所致，我們豈可因為某些疏忽或瑕疵，而損傷了這份龐大的善業。」

會員：「如何接引眾生入佛門？」

師言：「佛陀為眾生而設教在人間，人間眾生的確也需要佛教，為讓眾生了解佛教，即需先為眾生服務，『慈濟』志業所作正是先利益眾生，而後接引其入佛門。」

會員：「師父的願如此大，弟子們該如何效法師行？」

師言：「蜈蚣有百足，前後左右相互協調，只要大家同心協心，步伐一致，就一定能達成目的。」

會員：「如果有病人住院很久，家又貧，醫藥費如何處理？」

師言：「我常關照醫院的醫生們，你們只管治療，不必管病人有錢沒錢，因為那是我的事。家貧的由社會福利部處理：家境不好的可以打折；如果合乎醫藥費全免的，則全免；家庭有問題的，還要鼓勵他站起來，再去工作，慢慢還錢。」

會員：「師父，慈濟很好，我很感動，我很希望能夠多做，可惜我身體已不行了，障礙很多……」

師言：「就是因為我們的身體障礙多、病痛多，才要趕快發揮它的功能。身是載道器，盡心盡力慢慢拖、慢慢拉、慢慢載，也可讓我們搬運一些東西到彼岸。」

會員：「人人都發願，下輩子到『慈濟』當醫生，有那麼多的病人嗎？」

師言：「人有的時候，不是身病，而是心病；疑難雜症的病人很多，需要有如佛菩薩般的大醫王，來解開他們的心理病結。」

來訪者問：「『慈濟』志業有四大工作單元，在這四大單元中，最大的意義是什麼？」

師言：「『慈濟』的慈善、醫療、教育和文化四大單元，最大的意義應該是『事理雙運』，四大單元不能離開『事與理』這兩項。比如說『教育文化』是理，『濟貧』是事，『醫療』更是人生所不能缺少，也是事。所以慈善與醫療都屬於事，教育文化是屬於理，其最大的意義即是『事理雙運』。

將來慈濟志業之發展，必是事理圓融，兩面一體的。再好的道理，如果不去力行，等於是空話；再好的事，如果不按正理而行，恐怕難以竟其功，可見理事雙運的重要性了。」

訪客：「佛教說『少欲知足』，慈濟的事業卻越作越大，這樣不是變成多欲了嗎？」

師言：「欲望有兩種：一種是向上求——追求聖賢的足跡；一種是向下求——追求財、色、名、食、睡——這是地獄五條根。」

會員：「師父！我看他很有錢，一直想向他介紹慈濟做好事，他卻說沒興趣。」

師言：「慈濟的工作要抱著義務的心，不能只向有錢的人介紹，衆生一定要平等，不論有錢沒錢都要用義務的精神來介紹。讓他們知道世間有這麼好的工作，這麼大的福可造，這麼美的田可以耕耘，他若發心我們要爲他恭喜，他若不肯發心要爲他生起憐憫心，不要失望。」

師言：「方便——『方』是方法，『便』是便利他人，是以各種方法感化他人，而不難爲他人，謂之方便。」

會員：「學佛如何學得不執着？」

師言：「旣然知道不要執着，就不要執着。人都是因爲太聰明了，分別的事多矛盾也多，才會執著看不開。」

會員：「近來勤於奔走大街小巷勸募善款，而疏於閱讀經典。」

師言：「現實的人生百態，每天的人與事物，就是活生生的文字相，除了可增長我們的智慧，又可藉著外境，將心修練

得如如不動；『道』不是在白紙黑字上可求得，應是在日日的人來人往中，磨出那份『定力』，由『定』而發『慧』，在菩薩道上，自利又利人，亦則是經典所教，福慧雙修。」

會員：「『學』必須如何學呢？」

師言：「當然要用眼睛看、耳朵聽、心思考，又能活用在日常生活的待人接物上。」

說「時間」

會員：「爲什麼師父常警惕我們要過『分秒關』？」

師言：「人生無常，人命只在呼吸間，一秒間過不了關，生命就結束了，所以要好好把握每一分、每一秒。」

會員：「師父，您對將來可有什麼計劃？」

師言：「我有一個目標擺在前頭，但是，現在我只作好今天此時我該作的，把握那分分秒秒、很謹慎的過。我一天需過八萬六千四百秒的秒關！」

說「管理」

客問：「重視倫理、仁治、禮治是中國歷代的傳統觀念，但是當今社會上有許多的混亂現象，無法光靠傳統的精神力量制衡，必須有一套合乎正義的法律規範來管理社會，以它彌補傳統的不足處。目前我正在寫作一本有關法治國家的書籍，請師父給予指教。」

師言：「人離不開法。法令是法，道德的法則也是法。法令治末，道德法治本；政令法則用於犯罪後的懲治，道德法則用在本性的自我統御管理。以法治國，就看你從哪個角度下工夫了。」

會員：「師父，您用什麼方法管理？」

師言：「其實人不需要別人來管，也無法管別人，因爲很多人都不願受別人的管制，重要的是要讓他發揮自我管理的心態。」

說「做事」

會員：「師父走過廿五年的『慈濟之旅』，對自己可曾下過定論？」

師言：「我對自己的定論，只是盡本份做事不回想過去，

否則就是雜念。也不妄想未來，否則就是妄念。但是要有個計劃藍圖，即是把握時間，奠定目標前進。」

居士問：「常常爲善，爲何還是事業不順，道業不能精進？」

師言：「爲善也要會選擇。佛經裏的十魔軍，有『善根魔、信心魔』，若缺乏選擇的智慧，就容易被『相似』善根魔所混淆。爲善乃本份事，不要常記惦著我已做了多少好事，一定贏得事業順利，這樣爲善帶有煩惱、也稱爲『善根魔』，怎能道業精進！」

訪客：「有人說師父是中國的德蕾沙、史懷哲，是乘願再來的大菩薩，您對自己的評價是什麼？」

師言：「我只是盡我自己的本份做事而已！」

某會員在團體中工作認真、賣力，受到多人的讚歎而沾沾自喜……

師言：「那有什麼！一個能挑十斤的人只挑八斤，與一個挑一斤的人卻挑一斤半，哪個功能大？」

（註：在慈濟有一些老菩薩，識字不多，卻緊守著師父的教示，默默地做、精神令人感佩！）

客問：「要求別人做事情很辛苦，但事情要很多人一起做，如何讓大家願意做，而且做得很歡喜？」

師言：「欲得應先給。俗語說『捨得』、『捨得』，能『捨』才能『得』，若是強要就『要不得』，人生苦，就苦在能力不夠，卻偏要『求』，求得很苦。」

會員：「做不來的事可以推辭嗎？」

師言：「進者一也，退者一也；喻君子的精進不怕困難，專心一意求進步，所謂一勤天下無難事，又云：君子爲善不讓賢；好事怎可推辭。」

會員：「做人很難，一不小心就會得罪人……」

師言：「你們凡事不能圓融，關鍵就在：不是多說一句，就是少說一句！」

（註：言語不得當，容易產生是非。）

會員：「我的壞脾氣一直改不了，怎麼辦？」

師言：「脾氣不好，首先使自己痛苦，也惹人討厭。脾氣好，不但自己快樂，也討人喜歡。氣質和修養的好壞就看一個人的脾氣；人好，脾氣不好，所有的修養都報銷了。」

說「煩惱」

會員：「本身從事美容工作很忙碌，但是愈忙心靈愈空虛。」

師言：「可能是缺少了人生目標，所以有心靈空虛感，如以佛法來充實，替客人美容時，同時也聽講經錄音帶，除了洗頭也洗人的心，自己也能體悟人生的目標。」

會員：「日常閱讀經典，也懂修行，爲何煩惱重重？」

師言：「不懂佛法的人，我才有辦法解其心結。你已懂佛法又讀經兼修行，若是放不下，我也莫可奈何。」

會員又言：「心念也老是放不下。」

師言：「起心動念，就是佛在你的眼前，也沒辦法。既知境界轉心，就該趕快將心轉境。」

某大醫院的護士，對一位脾氣暴躁的大牌醫師非常頭痛，每次想到要與他在手術房共事，心裏就很苦惱……

師言：「妳以幽默的態度來看待他，讓他把心裏所有不乾淨的怨氣通通發洩出來，然後，再以溫言軟語輸入他的心，久而久之，他的心境不就乾淨了嗎？」

企業家：「我的事業做得很順利、很成功，該有的，我都擁有了，可是有時候還是感到很空虛，爲什麼？」

師言：「一般人都太看重自己，求無止境，心無饜足。有了溫飽，想要享受；有了一千萬，想要兩千萬；有了兩千萬，想要三千萬，永遠不能滿足。佛陀說：『安穩最大利，知足最大富』，如果你能將事業的成果回饋社會，分享大衆，我想你會

活得更充實、更愉快。每個人都是群體中的一分子，有群體的配合，才能成就個人的事業，因此，將成果回饋社會也是應該的呀！何況，這些有形的物質，到頭來也是帶不走的！」

說「慾望」

會員：「師父的毅力、勇氣，和信心，是與生俱來？或因諸事而不得不負起責任？」

師言：「無慾無求則力量不盡，人所以缺乏毅力、勇氣，是因爲玩物喪志。」

客問：「來花蓮以前，已經聽說了許多師父的事蹟，今日一見，心中有無限的感動和滿足。我從二十歲開始，就一直在宗教的領域裏探索，卻總覺得很難找到眞正的歸屬。有幸得到您的教誨，讓我看到了那份寬廣的包容力，以及那股爲了追求理想的堅毅信念；而師父能夠不受任何世俗標準的羈絆，突破了宗教界限，使得有緣者都能參與善業，消弭了人與人之間的隔閡，我認爲這比眼前所創造出來的事業更偉大。」

師言：「對我而言，這一切都是順其自然，沒有什麼『包容的感覺』。」

客問：「這是我第二個感動，您在談到所做的一切時，態度是那麼的自然。」

師言：「魚活在水中，是自然；人呼吸空氣，是自然；包容，也是一種自然。人生活在人群中，本就應該互相關心，彼此接受。現代人是因爲有著太多的不自然，所以才會視自然爲奇異事。」

說「民情」

律師對師父說：「社會民情混亂。親戚間爲爭財產，打官司的也不乏其人，令人看了內心沈痛。」

師言：「站在宗教者的立場，是多一事不如少一事；少一事就是功德一樁。打官司很痛苦，一場輸、一場贏，輸輸贏贏痛苦難當。」

某居士請示師父對「股票」的看法。

師言：「『股票』若是爲融通企業間的資金，帶動社會繁榮，就是正當的置產方法。如果以投機取巧的心態『炒股票』，讓它漲或跌，都會使人心起伏不定，跟著它上下不安，也會養成好逸惡勞的習性以及『少賺爲虧』的貪念。以佛教『因果觀』來講，『炒股票』無異是『我不殺伯仁，伯仁爲我而死』。」

來訪者問：「社會現在有許多問題，但不知問題出在什麼

地方？」

師言：「可能是在『人』，每一個人都是人群中的個體，國家和社會要強盛，每一個『個體』都有責任。比方說『垃圾問題』，並不是垃圾堆積如山才產生問題，是因每個家庭的丟棄物太多了，就產生了『垃圾問題』。」

慈濟的責任是什麼？

師言：「慈濟的委員和會員有兩種責任要做，一爲『救貧』，另一爲『教富』。有錢的人不一定都有愛心，其實佛陀告訴我們，愛心人人都有，可是在習性上與觀念上大家總是存有私心，只愛自己的子女和家庭，很難去關懷別人。賺錢時不擇

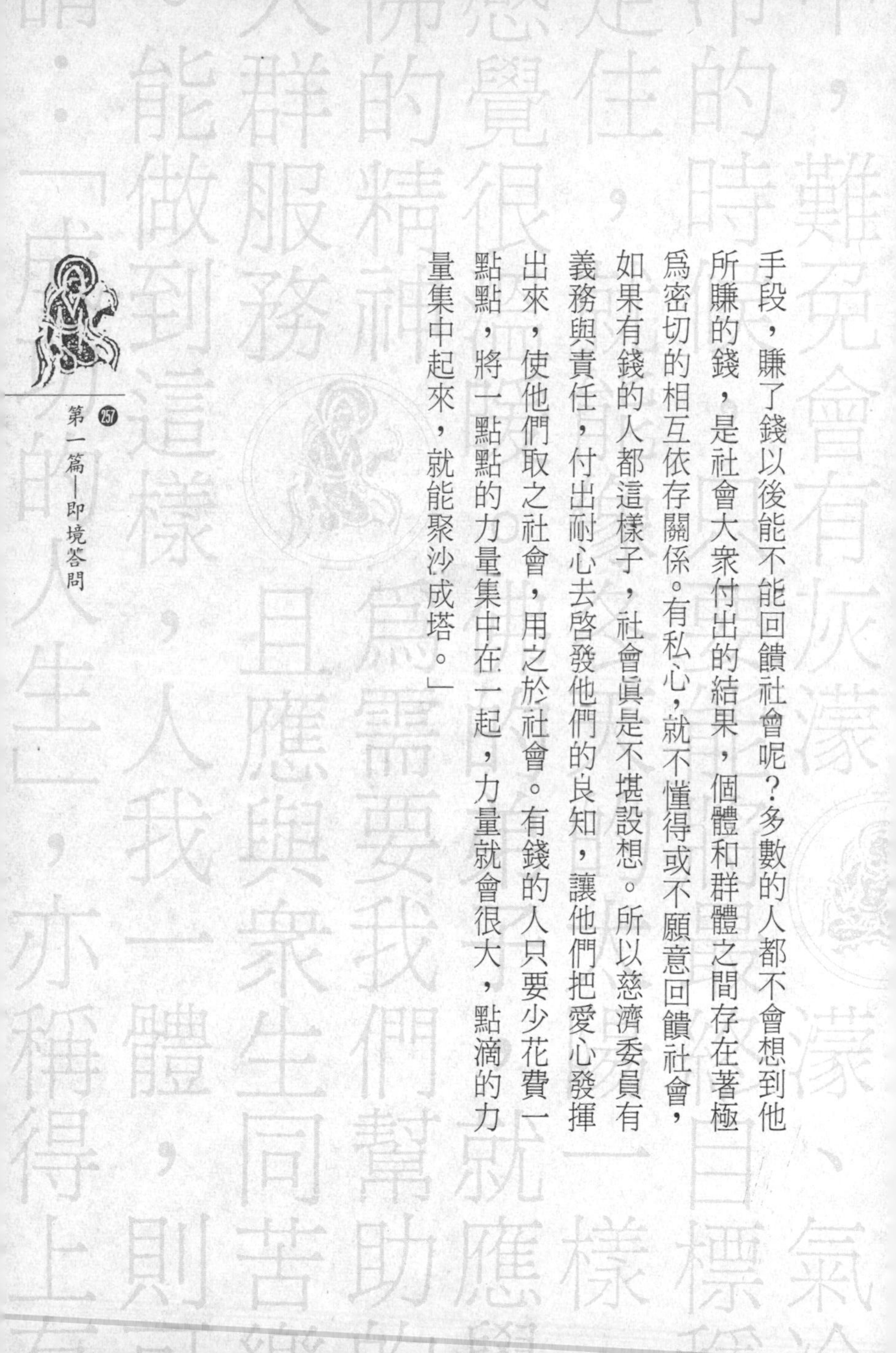

手段，賺了錢以後能不能回饋社會呢？多數的人都不會想到他所賺的錢，是社會大衆付出的結果，個體和群體之間存在著極爲密切的相互依存關係。有私心，就不懂得或不願意回饋社會，如果有錢的人都這樣子，社會眞是不堪設想。所以慈濟委員有義務與責任，付出耐心去啓發他們的良知，讓他們把愛心發揮出來，使他們取之社會，用之於社會。有錢的人只要少花費一點點，將一點點的力量集中在一起，力量就會很大，點滴的力量集中起來，就能聚沙成塔。」

如何化解勞資對立問題？

師言：「從前的人爲生活而工作，所以工人怕丟飯碗。現在生活水準提高，變成老闆怕丟事業。爲了經營好你的事業，就應該去除——我是『董事長』，你是『職員』的心態。」

會員：「複雜和簡單如何區別？」

師言：「簡單即複雜，複雜即簡單，吃飯最簡單，一不小心會噎死人。」

，難免會有灰濛濛、氣
的時候，只要能將最終目標
定住，就能像冬天的太陽一樣
覺很溫暖。佛的弟子，就應
佛的精神。爲需要我們幫助
大群服務，自應與眾生同苦
，能做到這樣，人我一體，則
明：「廣大的人生」，亦稱得上

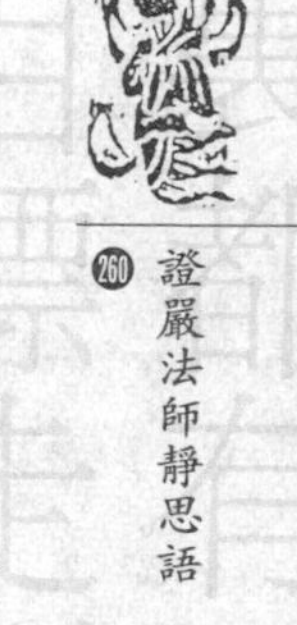

第二篇──即境開示

〔宗教篇〕

說「宗教」

記者問：「宗教對社會進步，有何功能？」

師言：「社會需要宗教，只有宗教才能啓發人的良知。人的慾念如塵埃，將人性善良的一面遮住了，應該用宗教的教法來洗鍊人心，啓發每一個人的良知，再引導他們發揮良能。」

說「因果」

會員：「因是什麼樣子我看不見。」

師言：「因就像一粒龍眼種子，我說它是一棵龍眼樹你一定不相信，因爲它怎麼看都只是一粒龍眼種子，這就是有『因』而缺少緣。若將它埋入土裏，經過陽光、水分的滋潤，它就會萌芽、茁壯而開花結果。」

「一份布施的心就是種子，有因緣時要趕快播種，時間一到，它自然就會萌芽茁壯，不過必須要有一段時間，不能說，今天播種，過幾天就想要收成，若用鐽子去挖挖看，才剛要萌芽的東西被你一挖連根都挖斷。」

會員：「因果？因沒人看到，果也沒人看到，如何證明因

果？」

師言：「世間有很多因果是無法看得到的，一棵芒果樹，它是由一粒芒果子長大而成的，若將一粒尚未種下的芒果子剖開來看，它中間是否包裹著一棵芒果樹呢？沒有，因爲它缺少了緣。但只要有陽光、水、泥土等因緣具備，它就會成爲芒果樹而開花結果。慳貪的衆生只想將前年的稻種留待後年，後年的稻種再留待後幾年，一年年的稻種若一直積壓下去，過去所留的稻種將會蛀空而無法留爲種子，唯有當年收割的種子，必須趕緊播種才能萌芽，因此我們一定要及時，不要貪。」

會員：「爲什麼有些人不行善，命還是很好？」

師言：「這就必須談到三世因果，有些人秉性善良能幹，但是生活事事不如意；有些人霸道、待人苛刻，卻一再平步青雲，是前世果報——定業。雖說定業不能轉，但對境不生二心，時時有佛法為精神的依止，就可得到一份坦然的觀自在。」

會員：「我這一生都做得很好，為什麼有很多事卻不如意呢？」

師言：「你做得很好，這一份『好』現在還未現形，而現在的不如意是過去的『因』於現在現形，『因』，是一粒種子。」

企業家：「從我懂事以來，我就沒有做什麼壞事，為什麼最近厄運接二連三的發生，使我感到好緊張，不得不去問因果，算算命……」

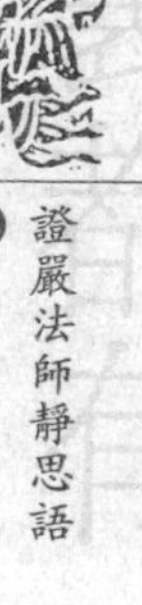

師言：「沒做壞事是人的本份，世間那麼大，多數人都沒做壞事，只是缺乏做好事。沒做壞事在人間不稀奇，要積極做好事才能眞正轉業力與命運。心好，不付諸行動，失去行善的機會，等於沒做一樣。」

說「消災」

會員：「師父！您哪一天生日？」

師言：「我每天張開眼睛，新的一天都是我的新生之日，都是我做人的開始！」

會員：「如何消災增福？」

師言：「災要自己消，福要自己造，眞正的消災要自我修養，『讓』可避免爭執，用柔和大愛轉禍爲福。」

常有人問師父：「要怎樣才能增福呢？」

師言：「多造福，如能有多造福人群的心，就可增添無量的福報。」

說「迷信」

會員：「媽媽往生後要進塔，我不知道該放哪個位置，我就問了佛祖。」

師父問他：「你是如何問法？」他說：「我用擲筊杯的方式，佛祖歡喜地答杯說這個位置很好。」

師言：「你錯了！是你進去之後覺得媽媽放在那個位置，你的心情很安穩，所以一進去，印象很好，就選擇了那個位置。心杯、心杯，並不是佛祖告訴你好不好，佛祖不會藉著兩塊木頭來向你講話，這是你的心藉木頭說話，因此說是心杯。」

會員：「爲什麼很多佛敎徒喜歡在神明面前擲筊杯？」

師言：「很多人一直迷惑於那兩片木頭，其實，人不怕不信，只怕迷信。不信的人表示很有理智，只要他一旦認識了眞理，他會深信不移。而迷信的人則容易牽強附會，反而糟糕。」

會員：「誦經會消業障嗎？」

師言：「若誦經能消業障，就沒因果了。人，有生就有死。譬如：買票坐車，要買到哪一站，到站就該下車，除非事先補票，否則就該下車。意思就是說，業障未現前時，就要先為善積福業，以破災殃。」

某先生說：「在美國發生車禍後，身體常覺有什麼纏身不安，長年病不斷，查不出病因，到處求神問卜，心中常惶恐不安。」

師言：「宗教應該要正信，不要迷信那些民間『有信無教』的信仰。宗教有其精神昇華的教育目標，寺院是人生教育的場

所。目前你先放鬆心情，自然心思能靜下來，靜氣養心就不會招惹外鬼。所謂『魔』，除了心魔，心外沒有魔。佛教講『因緣果報』，該來的總會來，用歡喜心接受，業報很快就過去了。」

會員：「求神問卜能解決困難嗎？」

師言：「要鼓勵人們，培養面對現實的勇氣和毅力，以歡喜心接受一切逆境，不要動輒求神問卜，易招神惹鬼，苦中帶迷，迷中無法自主。」

說「信仰」

有人請示：「何謂念而無念，無念而念？」

師言：「即自然地念佛，時時以佛為念，自自然然的，不以『我』為念。」

會員：「有人建議我拜地藏經，一字一拜。」

師言：「立地藏菩薩的大願，勝過拜經一字一拜。不要捨掉心佛不拜，而拜白紙黑字。經即是道、是通往聖人境地的道路，莫要因愛惜此路而不肯行步於此路。」

會員：「有人說，念佛要在十二點以前念觀世音菩薩；十二點以後念阿彌陀佛，究竟要如何念？」

師言：「只要全神貫注念佛名或菩薩名就可以。如念觀世

音菩薩是培養慈悲心，念阿彌陀佛是培養寬大心胸，不疑人、不疑事，包容一切開闊心胸，有大心量就有大福報，有慈悲即有光明。」

會員：「有困難求菩薩就能得到解脫嗎？」

師言：「衆生隨業而轉，人人心有千千結，菩薩慈悲隨機教化，心結受教即能結結解開，只要虔心向佛即有一份感應。佛教是一門深遠的教育，能眞心接受，力量即源源不斷，毅力自然產生；逆境現前不能只求佛菩薩，最主要還在於自己的信心與毅力，憑著這份心力，才能破除任何困難！」

會員：「我信佛，每天都到佛寺去拜佛做課，我是不是應該每天去呢？」

師言：「不一定要天天拜佛，眞正『正信』應該要學佛，你若只『拜佛』而不學佛，並不一定是正信的佛教徒。」

會員：「先生反對拜佛……」

師言：「拜佛、誦經，是我們修養知識的法門。如果學佛後，不僅本身修養沒改進，反而加重執著、迷信，只顧拜懺、誦經，時常往寺廟跑，這就難怪家人反對了。宗教乃開解脫門，去除我相。即使先生稍有微詞，應該以他的立場來反省自己，本身是否有疏忽的地方，這才是眞正愛的眞諦，信佛者的本分。」

會員：「念釋迦佛與念彌陀佛有什麼不同？」

師言：「釋迦佛乃佛教本師，我們依佛的教言而修行；念阿彌陀佛為放下萬緣，心中觀想西方極樂世界。其實心淨即國土淨，如果能修持到心中一片清淨，娑婆世界也就是極樂世界！」

會員：「我沒有智慧學念經怎麼辦？」

師言：「你念佛，但是必須念得你的心就是佛的心，能念得你的心轉為佛的心，就有和佛同等的智慧了。佛的心是大慈悲心。」

來訪者：「旁人鼓勵出家，心有雜念，常有幻音，疑神疑鬼，持咒更糟。」

師言：「學佛不一定要出家。出家後，心雜念多，也沒有用。有人用心學佛，但是沒有出家，他盡心奉養父母，護持佛法，結婚生子，也是學佛，而且學得非常好，這叫『居家菩薩』。

佛教是活潑自在的宗教，但要正信。『打坐』和『持咒』，若是沒有明師指點就不要再坐了。萬一再聽到什麼，就隨他去，不管它就好了。久而久之，所聽到的聲音，就會消失。其實你所聽到的只是心的執著，由於執著才有所感覺。」

會員：「我們要如何才能看開道理呢？」

師言：「唯有在佛陀的教育中多聽善知識、多聞教法，聽了之後若能好好思惟、拳拳服膺善法，身體力行，自然就能把道理看開，一旦看開了，就不會有煩惱，心無煩惱智慧也就啓發了。」

會員：「信佛是否會破壞家庭？」

師言：「信佛絕對不會破壞家庭的幸福，也不會影響到夫妻間的感情生活。一個人信了佛，持了戒，不僅可以修身，而且可以齊家，而後可以平天下。眞正持戒的人，是最冷靜而具有理智的人，會使感情更豐富，心地更慈悲，如此看來，信佛豈會影響家庭的幸福。」

學生：「金山活佛的事蹟是不是眞的？」

師言：「金山活佛最重要、最稀奇的是在他的修養。被罵、被攻擊或遇到逆境時，有一份寬大的心量——『隨它去，不管它』，這是我們應該追求的，而不在他神奇的事蹟。」

來訪者問：「師父的志業這麼龐大，爲千萬人所景仰，對佛教是項革新，也是項突破，對不對？」

師言：「常常有人說我在革新佛教，其實我只是將佛教復古。因爲佛陀在世時，並沒有深奧的經綸律典，他是針對當時印度人民的生活背景、心理煩惱，及社會的病態，隨機施教，教導當時的人們如何安身立命，擴大心胸對待人，和奉獻愛心給社會，如是而已，和現在的情形並沒有兩樣。總而言之，要

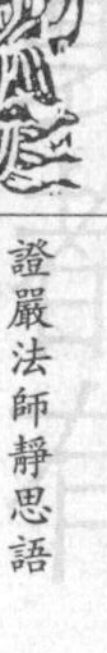

說是『革新佛教』，不如說是『回歸佛陀時代的本懷』。」

來訪者：「師父所談的佛法不是很深奧，但是很吸引人。」

師言：「佛法不在高深，佛法是生活化的。佛陀是教導我們如何在人間生活，什麼樣的生活才眞有意義又愉快，這才是佛陀的宗教觀念。」

會員：「要如何才能深入了解宗教？」

師言：「想要了解宗教，並不是一天兩天就能做到的事，信佛教也不唯教你拜拜或是什麼法會儀式，而是要教你去了解人生，學習做人的道理，去探討人生的宗旨。」

會員：「爲什麼佛教不談地理？」

師言：「佛教不談地理並不表示沒有地理。佛門談業力，業有兩種：一股是善業，一股是惡業，『福人居福地』，前世有這份福業，去到哪裏都是好地理；如果前世業障隨身，即使一方公認的好風水，無福的人也無法消受呀！人生在世但求一心正念，心正氣盛，心開運通，去到哪裏都很吉祥！」

說「布施」

會員：「爲什麼富有的人善事反而做得少呢？」

師言：「因爲他們缺乏勇猛的布施心，缺少了斷慾棄愛的

勇氣，缺少了憐憫眾生的愛心，那是因爲不明眞理，所以說富貴學道行善難啊！」

會員：「我玩股票賺大錢，就拿出來捐給慈濟！」

師言：「錢生不帶來，死不帶去，最好安安分分的做事，有多少，捐多少，不要整個人跟著股票起起落落。我如果叫你不要做，那麼股票落時，你會感激師父救了你；股票漲時你又會埋怨師父讓你少賺了，你每天的心情就隨著股票行情在起落，如何能產生智慧？怎麼有多餘的精力再做其他的事？這種錢財要能捨得放下，心才能清淨！」

有人說：「錢不好賺，我才沒那麼傻賺錢給別人用。」

師言：「取之社會，用之社會，今天我們得到力量就要趕快播種，才能捨——得萬報，到底是及時行善傻，還是將錢囤積爲死錢，變成業力，來得傻呢？如果自以爲聰明，不行善反而去造惡的人，才是最大的錯誤。」

說「修行」

會員請示千手千眼的含義

師言：「千手千眼是代表圓滿的意思；千眼到處都看得到，千手呢？什麼都可以做得到。」

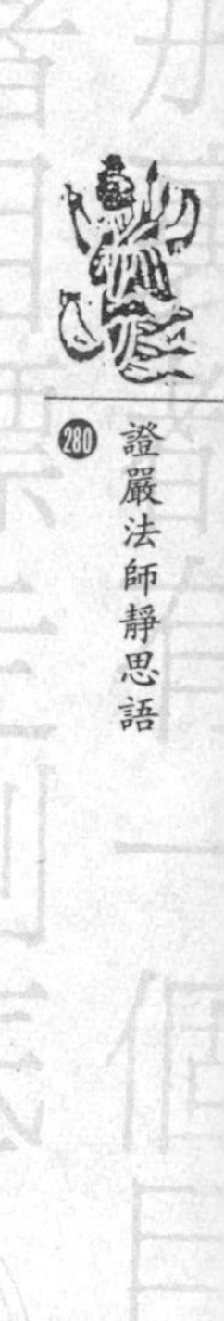

如何往生西方極樂世界？

師言：「想往生西方極樂世界，需要發菩提心，培養善根福德，且要身體力行，心不要只發在口頭，心要發在脚底，道要用脚走出來。西方淨土與娑婆世界，相距十萬億佛國之遙，若不勤行善根，怎接近所求之目的地？」

如何欲發出離心，趨向佛道？

師言：「出家是大丈夫事，要先自我磨鍊心理的健全。出家後先不要談『宏法利生』，只要先修得身心無煩惱，在僧團中能和合，大家相處融洽就很不容易了。」

會員：「做濟貧工作很辛苦，眼見那麼多苦難衆生，感覺永遠救助不完，心裏徒增煩惱。」

師言：「看到危困，動惻隱心、伸出援手，是人之常情。佛度不盡衆生，但是衆生無邊誓願度，所以要隨緣、盡力，見之即救！」

會員：「人們是因爲做惡造業，才落得貧苦的果報；是否能在事前給予佛法的教化，使得大家不致犯錯受報？」

師言：「佛法一直在依序的傳布、流廣著，許多法師努力弘法，即爲匡扶人心，治其根本，防患未然。有緣者自然得聞信受。」

會員：「我想從小學生的教育著手，灌輸他們正確的觀念，相信他們長大後就不至於偏差、墮落，請問師父我該如何跨出這一步？」

師言：「好好珍惜你的幸福家庭，用心教育你的三個子女；撥出時間到孩子的國小去當導護媽媽；主動到社區的育幼院去貢獻愛心。多接近小朋友，和他們建立起感情後，就有機會傳布愛心和智慧！」

何謂陰德？

師言：「陰德，爲作一切善而不求人知，只抱一本善念無求回報。」

佛法所謂的權巧方便如何區別？

師言：「差毫釐失千里，最好要腳踏實地去做。」

會員：「供養佛、法、僧，是三寶弟子的責任，師父不接受供養，是否讓我們減少了布施的福報？」

師言：「供養有三——利供養、敬供養、行供養。我欲成就慈濟志業，若非各位發心出錢出力，我一個出家人，豈有錢財、力量可爲？你們以利供養來成就我千秋百世的法身慧命，是更勝於供養我這副假合身軀啊！

此外，委員們皆能『以師志爲己志』，一心一意跟隨師父，那就是敬供養；而大家濟貧教富，身體力行於菩薩道上，即爲行的供養。如此利、敬、行三供養具足，我是接受弟子們最大供養的師父啊！」

會員：「出家應抱何種心態？」

師言：「對人群要有貢獻，抱著積極而不是消極的心，對於佛教的精神先要深思透徹了解後，衡量自己是否適應才選擇出家。」

會員：「爲什麼每個人看到師父都要虔誠頂禮？」

師言：「三寶弟子應該恭敬佛法僧三寶，僧伽乃代表佛陀傳法，不能恭敬於形，如何能受教法於心？」

會員：「拜天公要拜葷的還是拜素的？」

師言：「其實你拜什麼他都不會吃，這是以前農業社會的風氣，平日節省，一到年節就依神吃、依神享口腹而已；拜拜只需鮮花、水果，最主要在於一念恭敬虔誠的心！」

學生：「什麼叫神通？」

師言：「眞正神通的意義，不是你們所想像的千萬里看得見，也不是一蹬脚就能跑到很遠的地方，或是所謂的刀劍不入。神通是佛教的一個形容詞，神是精神，通是專心，心專神就通。我們不是常說：『我想通了！』就是這個通。」

某外藉人士言：「來台灣後見過許多寺院，唯獨此處不見繁複的廟堂雕刻、精美的佛像、鮮豔的色調，靜思精舍的一切是如此簡樸。請問慈濟如此做，意欲保留什麼？捨棄什麼？」

師言：「保留的是佛陀精神，捨除的是凡俗物質。」

又問：「既然佛陀精神是隱含於心行，爲何多數的宗教團

體仍然保留它外在的宗教儀式？」

師言：「無形的精神文化常藉有形的外在儀式來承傳，宗教儀式是一種傳統的禮節，絕對有它存續的意義。」

再問：「需要這些禮節儀式，是否因爲我們個人不夠強？」

師言：「與強弱無關。人類所以異於其他動物，就在有文有禮；宗教儀式是延續文化的一種具體形式——禮不可廢。」

會員請示禮佛的意義。

師言：「禮佛是爲訓練吾人的恆心、耐心、清涼心，也是自我陶冶身心的課程。」

會員：「先生還未入佛門，因爲怕被人家講被太太『度』了。」

師言：「『度』是好事，『度』字是佛教的術語，是謂感化，要度人須先自度改變自己、以身作則，方能感化他人啊！」

記者問：「信佛和不信佛，有何差別？」

師言：「信佛和不信佛，就如同人性與佛性沒差別一樣，但學佛者和不學佛者就有不同了。『學佛者』是以出世的精神去做入世的事業，他遇到任何困難都不會被環境所屈服，犧牲小我，不計較個人的得失；『不學佛者』對自己的得失看得很重；兩者差別在於宗教家的心念，只有衆生沒有其他。」

會員：「學佛過程中，『行』的重要性如何？」

師言：「佛是福慧雙具的兩足尊，想要修得福慧必須在衆生中修，亦即是身體力行。所以我常說，『佛』是凡夫的目標，『凡夫』是『佛』的起點，中間要經過菩薩道，『力行菩薩道』就是作利益衆生的事，有實行才能到達所求——學而成佛的目標。」

會員：「密宗爲何要打手印？」

師言：「密宗的修行法，『口持咒、手打印、心觀想』的用意，是收攝『身、口、意』三業淸淨的修行法門，三業中若有一業不相應，就失去攝心的功能。」

會員：「爲亡者作功德的眞實意義是什麼？」

師言：「爲亡者盡心力，作功德，是心存無限虔誠的心意。

所作功德，分分由生者受；但是亡者所得到的是遺愛人間，及助你入佛門的功德，可謂『生、亡』兩利。」

《金剛經》言：不能執「有」，也不能執「空」，究竟該取何相？

師言：「不執『無』也不取『有』，取中道而行於中道，好像天平偏一邊，即往下墜；文字雖是假相，但要依假顯眞，可比人頂天立地、用脚走路，人生的道理就在此，總不能執理而廢事吧！作人若能事與理均衡，就不會走偏了人生的方向，亦『空』、『有』皆不執着。」

會員：「阿彌陀佛的意義？」

師言：「阿彌陀是無量壽、無量光、無量智慧，一句『阿彌陀佛』包含無限祝福。」

會員：「七月拜拜，到底是佛教隨俗化呢？或是世俗從佛化？抑或是神、道諸雜教的流訛？又鋪張及奔忙於各處拜拜，是否合於佛法？」

師言：「以佛教的正規，七月十五日的法會，其實應稱：盂蘭盆會。爲什麼叫『盂蘭盆會』呢？『盂蘭』是印度語音，譯爲『解倒懸』的意思。這是一種比喻，是人死後墮落三惡道中，尤其是餓鬼道，喉細如針，腹大如鼓，飢餓難堪，如被倒懸著的痛苦。『盆』是盛百味食物之器，就是說：用盆器盛著百味，恭奉佛僧，承仗三寶福田之力，以『解』救先亡倒懸的痛苦。所以稱爲盂蘭盆會，也就是爲解救先亡倒懸之苦，而盛設供具，奉施佛僧之法會。正信的佛教徒，應該用智慧去分清法會的起源，千萬不要盲目地奔忙，作無意義的浪費鋪張，這不但違反佛教本質的教義，且不合政府所提倡的掃除迷信，節約浪費。」

會員：「佛教徒爲什麼那麼注重臨終時的助念？」

師言：「人在臨終時，各種神經瀕臨散壞，最是痛苦。不但身體上、精神上痛苦，加上冤親債主全找上門，更加恐慌。此時若能在旁助念，讓他有佛聲的依靠，有這麼多聲音的依靠，可以使他的精神集中不散。佛聲形成一股氣勢將他護持住，可

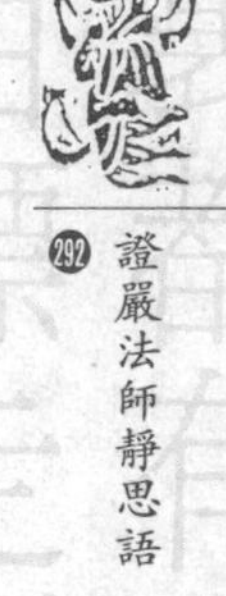

以使他的靈魂得到安慰，就不會昏昏沈沈任意跟隨邪魔鬼神跑到地獄或餓鬼、畜生道上。」

學生：「菩薩有很多，爲什麼大部分人都拜觀世音菩薩？」

師言：「因爲觀世音菩薩與娑婆世界的衆生比較有緣，他所修的耳根圓通法門，專門聽世間苦難衆生的聲音，以衆生的苦爲苦。苦雖要『堪忍』，但是在堪忍中要有悲心的人去關懷，才能解脫身心的痛苦。觀世音菩薩的悲願適應這娑婆世界，所以大家與他很親近。」

弟子：「要怎樣修習定力？」

師言：「把專心變成一種習慣，心不散亂就有定力！」

委員：「我不怕身體勞累，只怕有人事是非。」

師言：「行菩薩道，除了不怕身體苦，更不要怕心苦；學佛需要在人我是非中修得，不要一碰到事就退轉。衆生都有成佛的本性，佛陀只是擔憂衆生會退道心。」

居士請示：「在家居士修行方法，如何才能抛開執着？」

師言：「在家居士談修行，不如先修心。心若放不下，則無明煩惱障礙修學，明知不該執着，都還要執着，心有執著煩惱就難斷。」

會員：「修行的路好難走，老是遇到挫折，怎麼辦？」

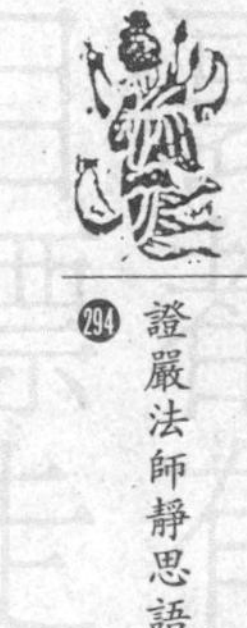

師言：「將佛法看透徹一點，世間法看開一點，我們每天面對的都是凡夫。凡夫嘛！有人就有事，有是就有非；應當學習身動而心不動，時時堅固道心，安心學菩薩道！」

會員請示如何懺悔？

師言：「過去的就讓它過去，只要把握現在，注意未來，多做好事以補過。」

說「業障」

會員：「何謂『毒』？」

師言：「『貪瞋』，人生在世間，常會遇到毒害，多因你爭我們，從貪起瞋，進而毒害衆生。」

會員：「什麼是魔道呢？」

師言：「一個人雖然修行得很認眞，表面上看來甚有修持，但他的心還是無法離開執着煩惱，這就是魔道。」

會員：「什麼叫『業障』？」

師言：「『業』就是受阻礙，別人之所以阻礙我們，就是過去生中，我們曾經阻礙過別人。也就是過去結了不好的緣，所以現在想作一件事，這『業』就現在眼前，稱之爲『業障』，也就是業力來障礙。」

一對憂心忡忡的父母，帶著靦覥憂鬱、十來歲的兒子求見師父，因爲他的兒子自從學習「打坐、練功」之後，每天失魂落魄，只想求神通，想成「仙」……

師言：「幻影就像電視螢幕一樣，你一執著在某種幻象時，就如同插上電源，幻影立刻顯現。年輕人精力充沛，應該多與大自然接觸，多在大自然中發洩，不要整天關在屋子裏練功打坐求神通，這樣很容易在腦海裏積存幻影。有病要吃藥，有健康的身體才能過踏實的人生。現實中正常的生活運作，你都忽略了，只專心去注意那虛幻的聲音、境界，你的現實人生將變成一片空白。你要在意的是面對面的聲音，而不要一直去追蹤那虛幻的聲音，因不正確的追尋，久了會造成精神緊張。那些幻音、幻影，不要去理它，不去與它相應，它自然會消失。」

會員：「有人說女衆的業障比較重，是嗎？」

師言：「不見得，各人隨業轉身，肯發心的話女人的力量也不小啊！看觀音菩薩，即常以女身化跡人間。女人的心多慈悲啊！慈悲可產生智慧，推動救世工作，因此不要輕視自己。」

說「皈依」

會員求授皈依。

師言：「『皈』字之意即反黑歸白，亦是棄捨黑暗投向光明，

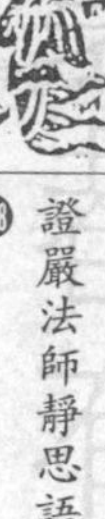

未皈依前滿心是黑暗，皈依後，面向光明的道路前進，把過去的一切錯誤都應捨掉，謹慎於今日的、未來的，和現在的一刻，用信心毅力和勇氣去實行眞善美的人生。」

「作佛弟子，要學佛的大慈悲心，以前的壞習氣都要改正過來，比如講話語氣重，愛罵人，或者人家對你不好就大發脾氣，亂摔東西；對小生靈若有好殺的習氣，也要趕快改掉，更應以寬容的心去包容他人，以慈悲心去愛護一切衆生，就連亂摔東西也算是殺生呢！皈依之義，並不是要求佛保佑平安，而是培養眞誠的愛心，去幫助別人，以佛心爲己心，才是眞正的皈依。」

中，難免會有放濛濛、氣命的時候，只要能將最終目標定住，就能像冬天的太陽一樣感覺很溫暖。佛的弟子，就應佛的精神為需要我們幫助人群服務，且應與眾生同苦。能做到這樣，人我一體，則明：「成功的人生，亦稱得上

附錄

慧心與悲心的註脚

◉林清玄

《證嚴法師靜思語》的出版，是一份令人欣喜的事，因爲在台灣已經很久沒有這麼「純淨」的書了。

這本書的原作者證嚴法師，把所有的版稅收入捐獻給慈濟功德會；編者高信疆先生義務性質的主編，出版者九歌出版社則是以低廉的價格來賣精緻的東西，並對大量購買的讀者，以接近成本的價格來推廣……像這樣一本「純淨」的書，以及背後純淨的行爲，在一九八九年重利、貪婪、汙濁的台灣社會，是令人動容的。

新聞、出版、文化界的超級戰將高信疆，兩年前有感於證嚴法師慈悲濟世的偉大精神，離開工作近廿年的新聞界投身慈濟功德會時，曾引起不小的震撼。高信疆進入慈濟後的第一件功德，是使慈濟成爲媒體最熱門的報導對象，使證嚴法師的精神廣爲人知；第二件大事，應該算是《證嚴法師靜思語》的編撰。

《證嚴法師靜思語》一改佛教出版物嚴肅的形式，創造了一個親切、和熙、活潑的風格，刷新了佛書的眼目。就一般出版物而言，它是創造了語錄體精緻、大方、恢宏的新象。不管從那一個細節來觀照，都可以體會到高信疆做為一流編輯的氣派。

自然，這本書存在的最大意義，是從證嚴法師的人格流露出來，可以說是法師慧心與悲心的註脚，使我們在慈濟事業的內面，認識了法師在佛法的體驗與實踐。

這樣的書如果能系列出版，必然對台灣的沈倫墮落有正面價值，因此我們期待第二輯可以看到法師更感性的開示與更深切的修行內容。

——原載79、1、7《民生報》

飽含圓融智慧與悲憫情懷

◉李瑞騰

中國的語錄文體形成傳統，從《論語》、宋明儒者語錄到近人章太炎《荊漢微言》等，說話者皆飽學聖哲，記錄者和他往往有師生關係。

一般來說，語錄文體皆簡明潔淨，不假雕琢及鋪敍，內中充滿智慧，高信疆所編《證嚴法師靜思語》，正應納入這傳統去看待，充分顯示一個得道高僧的圓融智慧，及其慈濟衆生的悲憫情懷。

證嚴法師的福澤廣被這擾攘不安的塵世，她以出世之心，用平淡之語，談人生現實諸事，於人們我身之修，實大有助益在焉。

此書由曾被譽爲「紙上風雲第一人」的編輯高手高信疆所編，隨手採擷而來的吉光片羽，上卷以「靜思晨語」爲名，計分十八篇，始於「說時間」，終於「走向學佛之路」；下卷爲「答人間問」，分「即境答問」的「人事篇」與「即境開示」的「宗教篇」，率皆語淺意深，宜置諸几案，隨時捧讀，並身體力行。

——原載78年12月2日《聯副》

不逆耳的忠言

◉李堅
大陸旅美青年鋼琴家

一九八九年九月，我應新象活動推展中心之邀請，前來台灣進行學術交流訪問。

在我離開台灣的前幾天，友人何先生伉儷熱情地送給我證嚴法師的「靜思語」，並託我帶兩本「靜思語」分別贈給馬友友、林昭亮兩位藝術大師。

現在，「靜思語」已經成為我形影不離的、不說話的老師，在我遇到挫折時，「靜思語」給我力量，使我振作精神來面對現實；當我取得勝利時，它又使我保持頭腦清醒、戒驕戒躁。此書字字句句都是眞理，我稱它為「不逆耳的忠言」。

承載大負擔

◉張愛娟

「事事如意、身體健康、減輕負擔」一向是凡夫大衆最常祈求的心願，也是朝思暮想成眞的美夢。卻很少有人去思考若事事不如意，身體不健康，負擔無法減輕時，「我」，該怎麼辦？

事事不如意時，「逃避」，或可避免一時的煩惱；但是，駝鳥精神終究於事無補。唯有勇敢的面對問題，克服難關，才會有逆境轉順境的光明前途。

人的身體奧妙難解，生老病死，又是必經之路。人的「心」最易受健康影響而悲觀、頹喪、消沈。如何在遭受病痛時保持智慧與愛心，是需要澄澈、堅毅的心靈才能做到，前不久一位病重歌手，在生命終點前所做的一系列回饋社會公益廣告，呼籲社會大衆珍惜生命，就是表現他愛社會，關心衆人的胸襟。

今年夏天，我承受了來自工作、家庭、親人的多重負擔與壓力。身心俱疲，心力交瘁時，最大的奢望就是：一個人逃得遠遠的，讓大家忘記我，我也離開這些負擔。當時，心靈深處出現一個念頭——試試看，做做看，瞧瞧自己有多少能力可以發揮？一段時間內能夠同時做多少事？就這樣，事情一件一件地完成，一樣一樣地解決，而我依舊安然存在。

從前，每次許願時，總不外乎求平安、求健康、求快樂。今天，欣逢八十年元旦，我恭讀證嚴法師的「靜思語」——新春三願，猶如吃了一記當頭棒喝，既愧又喜。慚愧過去自己的幼稚、懦弱；高興自己找到一個新方向。真的，人生不如意事，十常八九，只要有充分的勇氣面對現實，又何懼事不如意；生老病死，由不得我，只要有智慧、愛心，天下有何人我不能助，有何事我不能做？負擔難免，若有大力量，就可以承載起大負擔。

今天，我好高興。因為，在新年的第一天讀到這篇金科玉律，改變自己的思想與看法。願與人家分享這份喜悅。

用毅力安排人生時間

◉李麗娥

自從先夫往院到去世，我的心情始終沒有平靜過。每天過著憂思、恐懼的日子，先前的事物和眼前的事實總是無法去清楚的認定，更不敢想像往後的日子該如何度過。不忍心回憶過去，卻又不禁沉浸在其中，那樣的矛盾情境，眞非筆墨所能形容！

出生於佛教世家的我，竟沒有接受佛學的薰陶，對人生無常、因果關係，毫無所知。在這段痛苦的日子裏，印眞師——出家的二姊，一再的勸慰我，天天講因果、因緣等道理給我聽，也帶我到各道場參拜。雖然拜見過其他師父，也聽過他們演講過二次，但是仍然無法改變我的人生觀，憂戚悲苦的心結依舊打不開。

最近因印眞師和慈濟功德會台中分會取得連繫，認識了春治師姊，而帶我加入慈濟行列，受她贈予《證嚴法師靜思語》一書。詳讀二遍之後，我深深感覺到自己是多麼愚癡！師父說：「用智慧探討人生眞義，用毅力安排人生時間。」這句話喚醒了我。過去的憂思、煩惱，不但使自己痛苦，連子女也跟著我痛苦。

深思之後，我不再執著於過去的自我憂思之中，對人生的看法稍有改變，雖然情緒仍無法立即釋懷，但決定學佛，努力的去改變自我，更願爲眾生的苦難發出愛心，盡自己的能力做有意義的事。

「慈濟慈善事業基金會」的地址和聯絡電話是——

本　　會：花蓮縣新城鄉康樂村21號
TEL：(038)266779．266780

台北分會：台北市忠孝東路三段217巷7弄35號
TEL：(02)7760185

台中分會：台中市民權路314巷2號
TEL：(04)3224073

屏東分會：屏東縣長治鄉長興村中興路83號之1
TEL：(08)7363953

慈濟醫院：花蓮市新生南路8號

TEL：（038）561825-32

濟貧基金郵撥專户：0018533-2（靜思精舍）

建設基金郵撥專户：0688779-1（佛教慈濟基金會）

美國分會：

Buddhist Tzu-Chi Association of America

1000 S. Garfield Ave. Alhambra, CA. 91801

TEL:（818）2813383 FAX:（818）2815303

九歌兒童書房

第一集(全四冊) 定價400元

①五彩筆 楊思諶著
②小勇的故事 楊小雲著
③巧克力戰爭 嶺　月譯
④中國名人故事 蔡文甫著

第二集(全四冊) 定價360元

⑤香味口袋 向　明著
⑥中國神話故事 向　陽著
⑦神豬妙網 陳淸玉譯
⑧魔術手帕 李佳純譯

第三集(全四冊) 定價360元

⑨豆豆的世界 楊小雲著
⑩糖果樹 向　明著
⑪鑽石失蹤記 汴　橋譯
⑫白手起家的豐田 王蜀嘉譯

第四集(全四冊) 定價360元

⑬地心歷險記 張寧靜著
⑭超級糖漿 汴　橋譯
⑮發明家貓偵探 嶺　月譯
⑯楊小妹在加拿大 卜貴美著

第五集(全四冊) 定價400元

⑰我愛丁小丙 楊小雲著
⑱中國寓言故事 向　陽著
⑲撒哈拉之旅 張寧靜著
⑳風箏 朱秀芳著

第六集(全四冊) 定價360元

㉑科學小故事 楊思諶著
㉒大懶蟲與小仙子 哈　潑著
㉓雙姝緣 朱佩蘭譯
㉔小女生世界 蔡澤玉著

第七集(全四冊) 定價360元

㉕新西遊記 張寧靜著
㉖奇奇歷險記 應平書著
㉗洗腦人的祕密 揚　歌譯
㉘青蛙之謎 路安俐譯

第八集(全四冊) 定價360元

㉙機器人遊歐洲 張寧靜著
㉚歡唱在林野中 朱秀芳著
㉛一顆蘋果信 嶺　月譯
㉜二出局滿壘 丁　羊譯

第九集(全四冊) 定價360元

㉝阿喜阿喜壞學生 蔡文甫編
㉞草原上的星星 廖輝英著
㉟嘉嘉流浪記 楊小雲著
㊱猴子進城 哈　潑著

第十集(全四冊) 定價400元

㊲小瑩和她的朋友 楊小雲著
㊳頑皮故事集 侯文詠著
㊴小黑炭和比比 呂紹澄著
㊵彗星人的祕密 揚　歌譯

第十一集(全四冊) 定價360

㊶藍天燈塔 李　潼著
㊷醜醜 周芬伶著
㊸時間魔術師 黃　海著
㊹吹泡泡的小馬 王　玉著

第十二集(全四冊) 定價400

㊺愛吃糖的菲利 琦　君譯
㊻彩虹公主 陳金田著
㊼魔鏡 陳玉珠著
㊽老鼠看下棋 吳夢起著

(以上定價如有調整，以各該書版權頁爲準)

學，保眞筆下都流露敏銳、誠實、焦灼的關懷之情。讀本書，開拓我們的人文視野，讓我們聽見充斥在生命旅途中的海風、夜雨及陣陣濤聲。　■保眞，北平市人，生於臺灣。在中興大學教授森林遺傳學，同時是一位文學作家，寫作散文與小說。他曾遊學美國、瑞典、加拿大，有獨特的世界觀，更常懷家國之思。現在回到中國的土地上，要與這個多難的國家長相廝守。他的文學作品曾獲中國文藝協會文藝獎章、中國時報文學獎、湯清基督教文藝獎以及金鼎獎、國家文藝獎。

土地與靈魂

王幼華 著　定價 140 元

《土地與靈魂》以樸實的筆法、詳密的考證，重現一百多年前臺灣風貌。書中以一位傳奇人物英國船長兼探險家——荷恩的眞實故事做經緯，敍述他與葛瑪蘭女子高春風的戀情，率領番人墾闢樂土，抵抗漢人侵迫的悲壯歷程，對臺灣歷史做了新的解說與呈現。字裏行間充滿人道主義的情操及良知反省的精神。　■王幼華，山東人，竹南高中國文教師。是創構臺灣八〇年代文學主流的重要青年作家之一。其寫作方向如都市文學、心理寫實技巧、文體實驗等，皆成爲八〇年代文學風潮。他有全面展現當代臺灣社會文化整體風貌的宏大企圖，也具有原創性的藝術精神及獨特識見。作品的氣勢壯闊、思考深邃、文詞敏銳，頗受文評界肯定。

有情菩提

林清玄 著　定價 120 元

林清玄的《菩提系列》是爲人間的一切有情而寫，希望從喚醒有情的覺悟開始，一步一步走向有情的圓滿，因此把第十本菩提以《有情菩提》作結。佛法，是在有情人間，將一切的美串連起來，走向生命的大美。佛道，是絕美，以絕美的心洗滌五毒，以絕美的心跨越痛苦，以絕美的心體驗更深刻、廣大、雄渾的生命。《有情菩提》是說我們要以情感的淨化，在人間確立，以大愛與絕美來澄淸心性，永保明覺。

九歌最新叢書簡介

一世塵緣　　楊小雲 著　定價 140 元

本書藉著一對男女眞摯的戀情，闡述生命中的偶然及必然，深入探討人性中宿命的情緣、迷惘及狂熱。書中主角由相遇、相知到相愛，在心靈溝通與肉體契合中，發現了全新的自己。而道德的束縛、命運的播弄，使他們的情緣難續。這是作者力求突破，以獨特技巧寫出的最新力作，是淒美動人的生死戀，爲現代男女追求愛情最感人的篇章。■楊小雲，遼寧蓋平人，學的是家政，愛的是寫作，是一個文學天地中的多情人。專精於小說，也鍾愛抒情說理的散文，更致力於兒童文學的創作；並在中華日報、中央日報、臺灣日報撰寫專欄。爲國內少數具有多種筆力的女作家之一。曾先後獲「中興」及「文協」文藝獎章，又以《無情海》一書，榮獲七十五年度中山文藝小說獎。

閣樓上的女子　　周芬伶 著　定價 110 元

作者以慧心與彩筆細繪生活情趣和生命情調。在她筆下，逝去的時光，傷懷而不傷情；今生緣會，可喜又可驚。字字句句均是內在最眞摯的聲音。而世間的種種愛恨嗔癡，在她幽默又抒情的敍述中，成了衆生的縮影。這是周芬伶榮獲中山文藝獎後更上層樓之作。小我的抒情、大我的關懷，無一不是我們的生活，更是大時代最美麗的見證。■周芬伶，臺灣屏東人，政大中文系畢業，東海大學中文研究所碩士，現任教東海大學中文系。原筆名「沈靜」，現用本名發表作品。著有散文集《絕美》、《花房之歌》、《六六集》（六人合集）；少年小說《醜醜》、《藍裙子上的星星》。曾獲中國文藝協會散文類文藝獎章，又以《花房之歌》獲中山文藝散文獎。

生命旅途中　　保 眞 著　定價 120 元

這是保眞深刻描繪遊子情懷與淑世理想，赤誠地寫出對人間衆生的認同、尊重與悲憫的一本書。無論是一棵矗立的巨樹、一隻遊走的青竹絲、一對倉惶失措的母女，或是一所七十年的大

林清玄的佛學散文

林清玄素仰證嚴法師的德行高潔，從中獲取許多寶貴的智慧，開啓心靈的花瓣。他說：「第一次見到證嚴法師，就有一種沈靜透明如琉璃的感覺，這個世界上有些人不必言語就能給人一種力量，那種力量雖然難以形容，卻不難感受。證嚴法師的力量來自於她的慈悲，還有她的澄澈，佛經裏說慈悲是一種『力』，清淨也是一種『力』，證嚴法師是語默動靜都展現著這種非凡的力量。」

林清玄深受證嚴法師悲心感召，寫下一系列的佛學散文。讀林清玄的佛學散文，對《證嚴法師靜思語》會有更深一層的體認和靈悟。下面就是林清玄的著作：

紫色菩提	140 元	拈花菩提	120 元
鳳眼菩提	130 元	清涼菩提	120 元
星月菩提	130 元	寶瓶菩提	120 元
如意菩提	130 元	紅塵菩提	110 元
菩薩寶偈	120 元	香 水 海	120 元
好雪片片	100 元	心的絲路	110 元
會心不遠	110 元	天邊有一顆星星	120 元
隨喜菩提	130 元	心海的消息	150 元
有情菩提	120元		

■上列散文、單册九折，十七册合購（限郵購）1660 元並掛號寄書。

九歌叢刊㉓

證嚴法師靜思語 第二集

BUDDHIST PRIESTESS CHENG YEN'S MEDITATIONS (II)

著　　者：釋　證　嚴
校　　對：陳　素　芳・林　文　星
發 行 人：蔡　文　甫
發 行 所：九歌出版社有限公司
臺北市 10560 八德路 3 段 12 巷 57 弄 40 號
電話／7526564・7817716
郵政劃撥／0112295-1 號
登 記 證／行政院新聞局局版臺業字第 1738 號
門 市 部：九歌文學書屋（電話／02-7402838）
臺北市 10560 八德路 3 段 12 巷 51 弄 34 號
印 刷 所：沈氏藝術印刷公司（電話／02-2236161）
法律顧問：龍雲翔律師（電話／02-5423347）
初　　版：中華民國 80 年 11 月 20 日
初版 2 印：中華民國 81 年 3 月 10日
（印數40001～80000冊）

定價 150 元　（本書與慈濟文化出版社同步出版）

ISBN　957-560-165-3

國立中央圖書館出版品預行編目資料

證嚴法師靜思語. 第二集＝Buddhist priestess
Cheng Yen's meditations (II)／釋證嚴著.
--初版.--臺北市：九歌，民 80
310 面；19 公分.--(九歌叢刊；23)
ISBN 957-560-165-3(平裝)

1. 佛教—教化法

225　　80003874